9 DRAMATURGOS HISPANOAMERICANOS

ANTOLOGÍA DEL TEATRO HISPANOAMERICANO DEL SIGLO XX

Colección Telón

Dirigida por Miguel Angel Giella y Peter Roster

Antologías, 2

9 DRAMATURGOS HISPANOAMERICANOS

ANTOLOGÍA DEL TEATRO HISPANOAMERICANO DEL SIGLO XX

TOMO II

XAVIER VILLAURRUTIA

PARECE MENTIRA / ¿EN QUÉ PIENSAS?

GRISELDA GAMBARO

LOS SIAMESES

EGON WOLFF

FLORES DE PAPEL

Introducciones y bibliografías a cargo de:

FRANK DAUSTER	*Rutgers—The State University*
LEON LYDAY	*The Pennsylvania State University*
GEORGE WOODYARD	*The University of Kansas*

Colección Telón
Antologías, 2

GIROL Books, Inc.
Ottawa, Canada

Primera edición, 1979
Segunda edición, revisada y actualizada, 1998

© GIROL Books, Inc.
P.O. Box 5473, Station F
Ottawa, Ontario, Canada
K2C 3M1
Tel/Fax (613) 233-9044
Email: info@girol.com
Home Page: http://www.girol.com

Diseño y tipografía por LAR Typography, Ltd.
Design & typesetting by LAR Typography, Ltd.

Impreso y hecho en Canadá
Printed & bound in Canada

ISBN 0-919659-38-1

Xavier Villaurrutia
(México, 1903-1950)

Además de ser uno de los poetas mexicanos más importantes del siglo y crítico de gran influencia, es el más importante de los dramaturgos afiliados con el grupo Ulises-Orientación, quienes, de 1928 a 1939, impulsaron la renovación del teatro mexicano. El mundo del teatro de Villaurrutia es el de la clase media alta y la nota distintiva de su teatro es la lucidez intelectual que delata las debilidades de ese mundo, suavizada por la discreta sonrisa irónica. Comenzó su carrera de dramaturgo con los *Autos profanos*, cinco obras en un acto escritas entre 1933 y 1937. Con excepción de *Invitación a la muerte*, las obras mayores de Villaurrutia retratan conflictos generacionales y de familia dentro de un realismo convencional influido por el teatro francés, sobre todo Giraudoux, Lenormand y Duhamel. Pero el teatro de Villaurrutia no pertenece al barato teatro comercial orientado hacia la taquilla contra el cual luchaban su grupo y, en términos generales, otros grupos parecidos en muchos centros hispanoamericanos, ya que sus obras son ricas en percepciones psicológicas, y muchas veces se basan en mitos de tipo universal para subrayar lo perenne de la angustia de la circunstancia individual.

De 1942 es *La hiedra*, basada en la *Phèdre* de Racine y a través de ésta en el *Hipólito* de Eurípides. Narra el amor entre Hipólito y su madrastra Teresa, viuda joven y todavía capaz de vivir y amar. Lejos de ser copia del modelo, se convierte en estudio de una persona que se nutre psicológicamente de los seres que la rodean. En *La mujer legítima*, del mismo año, vemos otra vez una extraña relación entre generaciones dentro de una familia. Sara, amante de Rafael, se casa con él al morir la mujer legítima, oficial, pero se encuentra odiada y rechazada por Marta, hija de la pareja, que sufre de la misma enfermedad mental que la madre. No hay ni malos ni buenos, sino distintas perspectivas sobre quién puede ser «la mujer legítima», la enferma encerrada durante años pero casada según la ley, o la adúltera, que fue durante tanto tiempo ayuda y amor para el marido desvalido. Una obra psicológica se convierte así en análisis de un dilema moral muy vigente todavía, imposible de ser resuelto sin herir profundamente a alguien inocente. Problema relacionado se ve en una de las obras más complejas de Villaurrutia, *El yerro candente* (1944). Retoma el tema característico de las relaciones generacionales para invertirlo y mirarlo desde otro ángulo. Antonia descubre que el detestable tío Román es su padre biológico y que el padre a quien ama profundamente no es, en rigor, pariente suyo. La decisión de Antonia jamás está en tela de juicio, pero la obra deja al público con preguntas graves relativas a la justicia y la naturaleza básica del funcionamiento social de la familia. Como *La mujer legítima* y *La hiedra, El yerro candente* es teatro de personaje, de choques de personalidades. Además, cuestiona las convenciones que están en el fondo de la vida social: de la verdadera naturaleza de las relaciones, de los auténticos lazos de emoción entre padres e hijos.

El pobre Barba Azul (1946) es comedia-farsa pura hecha a base de tipos, con algo de comedia de enredo estilo Siglo de Oro y bastante de farsa francesa de bulevar. El protagonista es un ser mediocre recién divorciado quien se convierte en el hombre más amado y codiciado de las damas de alta sociedad. Es todo un Barba Azul al revés, ya que es tímido e incapaz de creer en su nueva suerte. En *Juego peligroso* (1949) volvió Villaurrutia a la temática de antes, una aparente infidelidad conjugal que pone en marcha toda una cadena de complicaciones. Por fin se descubre que todo se debió al ardid de un amigo para poder reemplazar al marido. Otras obras del autor son *El solterón* (1945), inspirada en una comedia del vienés Schnitzler, y *La tragedia de las equivocaciones* (1950), monodrama enigmático que alude a la comedia de Shakespeare. *El solterón* (1950) es la conocida historia del don Juan quien al morir deja para sus amigos la confesión de haber tenido relaciones adúlteras con la mujer de uno, sin decir cuál. Pero típicamente en vez del ambiente cínico del cuento de Schnitzler, Villaurrutia crea un enigma al añadir otra carta en la cual confiesa que todo fue broma. Pero ¿cuál carta dice la verdad? Jamás lo sabrán, y cada quien tiene que escoger una explicación individual que puede aceptar.

La obra maestra del autor es *Invitación a la muerte*, escrita en 1940 y estrenada en 1947. Es la historia de Alberto, dueño de una agencia funeraria, cuyo padre desapareció años antes. Es una extraña figura atormentada, incapaz de comunicarse ni con su madre ni con la novia. Al volver su padre —¿del destierro voluntario?... ¿de la muerte?— el joven intenta salir de este raro aislamiento, pero fracasa, y se hunde cada vez más en su comunión con la muerte. Saltan a la vista correspondencias con *Hamlet* pero *Invitación a la muerte* es mucho más que un *Hamlet* en traje moderno mexicano. Ya no es el drama de un joven atormentado que trata de encontrar el valor para matar a su padrastro asesino de su padre, sino la tragedia de otro joven igualmente atormentado que busca hallar su lugar en los mundos de la vida y la muerte, tema clave de la poesía del autor. A la vez formula magistralmente el dilema del solitario hombre moderno existencial, desarraigado de las tradiciones que antes daban fuerza a la sociedad, enajenado de los demás y de las instituciones de la sociedad.

Los dos *Autos profanos* incluidos aquí son alta comedia de una naturaleza experimental que tratan de manera oblicua problemas intelectuales, que el autor llama misterios, enigmas... *Parece mentira* (1933) es típico; la acción consiste nada más en las entradas y salidas de los personajes y las reacciones de las tres figuras principales. Pero la obra bucea en las posibilidades teatrales de la relatividad del tiempo, de la juntura momentánea de distintos tiempos. Las tres señoras que hablan las mismas palabras y repiten idénticas acciones, ¿son la misma, una condensación de tres tiempos? ¿El tiempo es como acordeón, que puede ser comprimido o expandido? De la misma manera los personajes no son fijos sino una serie de personalidades distintas cada cual, personalidades que sólo logramos percibir a medias. En *¿En qué piensas?* (1934) otra vez el tema es la relatividad del tiempo. María Luisa es la mujer eterna ante la cual están inmovilizados los tres pretendientes, cada uno en su propio tiempo. A la vez se sugiere la angustia del ser humano frente a un destino desconocido. A pesar de su intelectualismo, los *Autos* distan mucho de ser fríos; la sonrisa irónica y el fino humorismo se conjugan con el marcado sentido de teatralidad para hacerlos verdaderas pequeñas obras maestras.

Frank Dauster
Rutgers—The State University of New Jersey

Xavier Villaurrutia

Parece mentira

(Enigma en un acto)

a Celestino Gorostiza

PERSONAJES

EL EMPLEADO
UN MARIDO
UN CURIOSO
UN ABOGADO
TRES SEÑORAS

Sala de espera en el despacho de un abogado. Hoy.

(La sala aparece vacía. Pausa. Se oye el timbre de la puerta de entrada, al fondo, a la izquierda. Aparece por la puerta de la derecha el empleado. Abre la puerta y entra incierto, tímido, el marido.)

ESCENA PRIMERA

EL MARIDO, EL EMPLEADO

EL MARIDO—¿El señor Fernández? ¿El abogado Fernández?
EL EMPLEADO—*(Automático, pensando en otra cosa.)* No ha llegado aún. Pase usted a esperarlo.
EL MARIDO—Recibí una cita para...
EL EMPLEADO—*(Interrumpiéndolo.)* Pase usted a esperarlo.
EL MARIDO—...las siete.
EL EMPLEADO—Puede usted tomar asiento.
EL MARIDO—...sólo que, más bien que con el señor Fernández, estoy citado aquí en su sala de espera y no sé...
EL EMPLEADO—El abogado no tardará en llegar.
EL MARIDO—...y no sé si debo permanecer aquí sin explicar al Señor Fernández el porqué de mi presencia en su despacho.
EL EMPLEADO—*(Cortante.)* El abogado tendrá mucho gusto en oír a usted.

(El empleado se inclina y sale por la puerta de la izquierda. El marido busca el asiento menos visible y lo ocupa. Pausa. Se oye el timbre de la puerta de entrada. Reaparece el empleado. Abre la puerta de entrada y aparece el curioso.)

ESCENA II

EL MARIDO, EL EMPLEADO, EL CURIOSO

EL CURIOSO—Quisiera hablar con el abogado Fernández.
EL EMPLEADO—Pase usted a esperarlo.

(Deja su sombrero en el perchero.)

EL MARIDO—*(Levantándose y queriendo explicar el porqué de su presencia al empleado.)* ¿Cree usted que el señor Fernández no tenga ningún escrúpulo?...

EL EMPLEADO—*(Interrumpiéndolo.)* Ninguno. *(Al curioso.)* Puede sentarse si gusta.

EL CURIOSO—*(Que no ha visto al marido.)* ¿Soy la primera persona que viene a buscarlo esta tarde?

EL EMPLEADO—La primera, después del señor. *(Dice esto señalando al marido. El curioso y éste cambian esa primera mirada feroz de las personas condenadas a ocupar por algún tiempo la misma jaula. El curioso se sienta. Se oye el timbre del teléfono. El empleado toma el audífono.)* Sí... No, no ha llegado aún... Sí, todas las tardes. A las siete... Acostumbramos considerar tarde las siete... No puedo decirlo con exactitud. Sí, señor... ¿La dirección de su casa? No estamos autorizados a saberla. A sus órdenes. *(Cuelga el audífono. Se dispone a salir.)*

EL CURIOSO—*(En pie.)* Dispénseme una palabra.

EL EMPLEADO—Diga usted.

EL CURIOSO—¿El señor Fernández es joven?

EL EMPLEADO—Dentro de unos minutos podrá usted decirme si así le parece.

EL CURIOSO—Yo quisiera saber la opinión de usted.

EL EMPLEADO—Mis puntos de vista son, seguramente, tan diversos a los suyos, que, a lo mejor, la persona que a mí me parece joven a usted le parece un superviviente.

EL CURIOSO—Entonces, y no me juzgue usted mal, comparado con alguien.

EL EMPLEADO—Comparado con el señor padre del señor Fernández, el señor Fernández es joven; comparado con el hijo del señor Fernández, el señor Fernández ya no es joven.

EL CURIOSO—Es usted un maestro en el arte de no comprometerse.

EL EMPLEADO—Perdóneme, pero no le comprendo a usted.

EL CURIOSO—No hay duda, es usted el perfecto secretario particular.

EL EMPLEADO—No soy el secretario particular del abogado.

EL CURIOSO—Y, no obstante, obra usted como si lo fuera.

EL EMPLEADO—El señor Fernández no tiene secretos. ¿Por qué había de tener secretario? Yo atiendo los teléfonos, recibo a los clientes. No tengo otra misión. Soy un simple empleado.

EL CURIOSO—Yo creo que usted merecería...

EL EMPLEADO—*(Interrumpiéndolo, suavemente.)* Nadie tiene lo que se merece. Ahora mismo, tal vez usted merezca que yo satisfaga su curiosidad. *(Al curioso le brillan los ojos.)* Pero si lo hiciera sería injusto, en primer lugar, con el abogado, que no merece que con una respuesta indiscreta lo ponga en un compromiso y, en segundo lugar, conmigo mismo

EL CURIOSO—¿Con usted mismo?

EL EMPLEADO—Sí, porque, y dispénseme si subrayo de paso la injusticia de usted, ¿no ha pensado que con sus preguntas me roba un tiempo que acaso no merezco perder?

EL CURIOSO—¿Tiene usted mucho trabajo?

(El empleado sonríe: parece interesarse en la conversación. Toma asiento.)

EL EMPLEADO—No me refiero al tiempo que empleamos en un trabajo de las manos, en coser un expediente o en poner en marcha el multígrafo, tiempo que al fin y al cabo podemos soldar nuevamente después de una pausa más o menos larga, sin pérdida considerable. Piense usted en el tiempo que sustraemos al desarrollo de una idea, a la continuidad de un monólogo, a la visita de un recuerdo precioso, que, una vez interrumpidos, se escapan y se esconden en el desván de nuestra memoria para reaparecer quién sabe cuándo.

EL CURIOSO—¿Es usted poeta?

EL EMPLEADO—Las impresiones de usted van de un extremo a otro, sin pasar por el centro. Hace un momento le parecía un secretario particular, ahora un poeta.

EL CURIOSO—No es mía la culpa: calla usted como un secretario particular y habla usted como un poeta.

EL EMPLEADO—Es verdad. Y me alegro de encontrar a una persona a quien un solo golpe de vista y unas cuantas palabras le han dado mi clave en una ambivalencia.

EL CURIOSO—¿Ambivalencia?

EL EMPLEADO—No se asuste... Es el nombre moderno de un fenómeno antiguo cuya existencia usted mismo acaba de probar haciendo un doble juicio de mi modo de ser.

EL CURIOSO—¿Luego usted cree...?

EL EMPLEADO—Creo que en cada uno de nosotros existen, simultáneamente, sentimientos contradictorios hacia una misma cosa, hacia una misma persona...

EL CURIOSO—Ah, sí. Eso del amor y el odio...

EL EMPLEADO–Si usted quiere. Y, más todavía, dobles modos de ser que, como en mi caso, son aparentemente enemigos.

EL CURIOSO–¿Sólo aparentemente?

EL EMPLEADO–En mí se dan la mano el empleado y el poeta, pero lo más frecuente es la ignorancia de estos dobleces de la personalidad.

EL CURIOSO–¿Luego no es fácil conocerlos?

EL EMPLEADO–Por el contrario, el hombre vive y muere ignorándose. Toda su vida, o punto menos, la gasta haciendo lo posible por no reconocer que en realidad no es un hombre sino dos o más. Juega consigo mismo al escondite, y aun sabiendo dónde se oculta, no se atreve a decir «aquí estoy» o «aquí está el otro». Usted mismo que, así, de pronto, me ha situado en dos climas tan diversos, el del empleado y el del poeta, ¿se ha confesado cuántas y cuáles son sus vidas simultáneas?

EL CURIOSO–La verdad, nunca me he puesto a pensar en ello.

EL EMPLEADO–Yo le aconsejo que se atreva a hacerlo. Acaso en la conciencia de esa pluralidad encuentre usted eso que llaman la dicha, o la comodidad o, al menos, la explicación de sus tormentos.

EL CURIOSO–¿Y si yo le dijera a usted que soy dichoso y que no necesito explicarme los tormentos que no sufro?

EL EMPLEADO–Si eso fuera verdad, al declararlo no haría usted sino demostrar su inexistencia. Pero usted mismo no se ha atrevido a asegurar categóricamente que es feliz y que está conforme con su vida.

(Durante el diálogo entre el empleado y el curioso, el marido empieza a dar señales de inquietud. Ni el empleado ni el curioso han pensado en la presencia del tercero.)

EL MARIDO–*(Sacando fuerzas de su timidez.)* Señores...

(El empleado y el curioso advierten que han estado hablando delante de un tercero. Pasado el primer asombro, cambian una mirada que es todo un pacto. El marido acerca su asiento, sin levantarse del todo, y continúa.)

Señores... No sé si deba. No sé si con esta interrupción corte estúpidamente un diálogo que, en cualquier otro caso, habría respetado fingiendo, como es mi deber, no escucharlo, pero sucede que *(dirigiéndose al curioso)* usted ha hablado hace un momento de un ser dichoso, conforme e ignorante de cualquier tormento... y usted *(dirigiéndose al empleado)* ha insinuado la posibilidad de que ese tipo de hombre no exista.

EL CURIOSO—Así es.

EL EMPLEADO—Así es. *(En pie.)*

EL MARIDO—Pues bien, si yo hubiera tenido el gusto de conocer a ustedes hace veinticuatro horas, habría podido decirles que ese hombre era yo. *(Ahora es el curioso quien se acerca al marido.)* El bienestar, la comodidad, el desahogo económico y una alegría bien dosificada estaban dentro y fuera de mí. Y no digamos un tormento, ni la más leve preocupación ensombrecía mis pensamientos o mis costumbres...

EL EMPLEADO—*(Triunfante.)* En una palabra: usted no existía. *(Se sienta.)*

EL MARIDO—Mejor dicho, yo ignoraba que existía.

EL CURIOSO—¿Y ahora?

EL MARIDO—Ahora... *(Volviéndose atrás moral y materialmente.)* Ahora no puedo decir nada más. *(Se sienta.)*

EL EMPLEADO—*(Después de un cambio de miradas con el curioso; insinuante.)* ¿Por qué motivos? Nada nos impidió hablar con toda franqueza, hace un instante, delante de usted.

EL CURIOSO—Es verdad.

EL EMPLEADO—Su silencio de ahora revela una desconfianza, una reserva...

EL MARIDO—Olvida usted que apenas nos conocemos... Que en rigor no nos conocemos.

EL EMPLEADO—No solamente no lo olvido, sino que en realidad es lo único que tomo en cuenta. Gracias a que no nos conocemos ha sido posible este cambio de intimidades entre personas que, precisamente porque nada las liga, nada tienen que ocultarse. El interés que ha demostrado usted interviniendo súbitamente en nuestra conversación lo ha traicionado.

EL MARIDO—*(Cobarde.)* Ha sido una casualidad.

EL EMPLEADO—Que usted cogió al vuelo para empezar a desahogarse, a librarse de algo que no puede guardar por más tiempo.

EL MARIDO—En todo caso, tengo más de un amigo a quien confiarle...

EL EMPLEADO—Permítame que no crea sino la primera parte de su frase. Tendrá uno o muchos amigos, pero no es a ellos a quienes va a confiar lo que usted mismo no quisiera pensar siquiera.

EL MARIDO—¿Para qué son, pues, los amigos?

EL EMPLEADO—Un amigo es alguien a quien contamos nuestras victorias y ocultamos nuestras derrotas. Conozco situaciones como la suya, y aunque la suerte no me ha dado la oportunidad de experimentar en cabeza propia, he vivido intensamente esas situaciones... en los demás.

(Se oye el timbre de la puerta de entrada. Los clientes vuelven a sus puestos y adoptan actitudes de indiferencia. El empleado recobra su personalidad de empleado.)

EL EMPLEADO—*(Después de abrir la puerta.)* Pase usted, señora.

ESCENA III

EL MARIDO, EL EMPLEADO, EL CURIOSO, LAS TRES SEÑORAS

(Entra una señora joven, vestida de negro, con la cara cubierta por un velo. La señora saca de su bolsa una tarjeta que entrega al empleado. El empleado, con una cortesía mecánica, se inclina e indica a la señora la puerta del privado, a la derecha, invitándola a entrar.)

EL EMPLEADO—Por aquí, si tiene la bondad.

(La señora entra en el privado. El empleado vuelve al punto de reunión y toma asiento. El curioso ha vuelto a acercar la silla. Todo está como antes de la llegada de la primera señora.)

Y aunque la suerte no me ha dado la oportunidad de experimentar en cabeza propia, he vivido intensamente esas situaciones... en los demás.

(Se oye el timbre de la puerta de entrada. Todo el movimiento de personas y cosas se repite. Después de abrir la puerta, el empleado dice:)

Pase usted, señora.

(Entra una segunda señora, idéntica a la anterior. Podría jurarse que es la misma. Saca de su bolsa de mano una tarjeta y la entrega al empleado, que la invita a entrar en el privado.)

Por aquí, si tiene la bondad.

(La segunda señora entra en el privado. Al acercarse el empleado a su asiento, el marido que ha palidecido progresiva y mortalmente ante la

presencia repetida de la señora, quiere decir algo que al fin se ahoga en su garganta. El empleado y el curioso no advierten nada de esto. Aquél ha vuelto a ocupar su sitio; el curioso ha acercado su silla y espera, como de un oráculo las palabras del empleado.)

Y aunque la suerte no me ha dado la oportunidad de experimentar en cabeza propia, he vivido intensamente esas situaciones... en los demás.

(Se oye por tercera vez la misma llamada del mismo timbre en la misma puerta. El curioso y el empleado repiten inconscientemente los mismos gestos y movimientos. Todo vuelve a ocupar su sitio inicial. Sólo el marido queda hecho una estatua cuando al oír la voz del empleado aparece y entra una tercera señora idéntica a las dos anteriores. Podría jurarse que es también la misma. Da una tarjeta al empleado y éste repite los ademanes y pasos anteriores.)

Por aquí, si tiene la bondad.

LA TERCERA SEÑORA—No se moleste, conozco el camino.

(La señora entra en el privado. El empleado cierra la puerta y al tiempo de volver a su asiento mira al marido, que pugna por hablar y sólo emite una especie de rugido.)

ESCENA IV

EL MARIDO, EL EMPLEADO, EL CURIOSO

EL EMPLEADO—¿Qué le ocurre? ¿Qué le ocurre?

EL CURIOSO—¡Se ahoga, se ahoga!

EL EMPLEADO—Cálmese, cálmese usted.

EL CURIOSO—Un poco de agua es bueno para estos casos.

EL EMPLEADO—No haga ningún esfuerzo, calma, calma.

EL MARIDO—*(Logrando al fin hablar.)* ¿Quién es?... *(Al empleado.)* ¿Quién es esa mujer?

EL CURIOSO—¿Cuál de las tres?

EL MARIDO—*(Cogiendo la solapa del saco del empleado; con voz alterada.)* ¿Quién es?

EL EMPLEADO—*(Retirando la mano del marido, le contesta en empleado.)* No estoy autorizado a saberlo.

EL MARIDO—*(Suplicando.)* Respóndame, se lo ruego.

EL CURIOSO—Sí, respóndale.

EL MARIDO—Hace un momento parecía usted capaz de comprenderlo todo... Se lo ruego. ¿Quién es esa mujer?

EL EMPLEADO—Tiene usted razón. Ahora no debo mentir, ni ocultar ni callar nada. Ahora debo decir la verdad desnuda, en vez de hablarle como un empleado hipócrita.

EL MARIDO—*(Conmovido.)* Gracias... ¿Quién es?

EL EMPLEADO—*(Desolado.)* No sé quién es, se lo juro.

EL CURIOSO—¿Cuál de las tres? ¿Quieren saber sus nombres? Cada una de ellas entregó a usted una tarjeta.

EL MARIDO—Tiene razón: entregó a usted una tarjeta.

EL EMPLEADO—Espere usted. *(Se busca en los bolsillos. Encuentra solamente una tarjeta.)*

EL CURIOSO—Busque las otras dos.

EL EMPLEADO—*(Después de leer la tarjeta.)* No adelantamos nada: me entregó una tarjeta del abogado.

EL CURIOSO—*(Le quita la tarjeta.)* Faltan dos tarjetas.

EL EMPLEADO—*(Buscándose una vez más en los bolsillos.)* No hay más.

EL CURIOSO—*(Extrañado.)* Y no obstante...

EL MARIDO—*(Impaciente.)* Es inútil... Se lo ruego... La señora que acaba de entrar ¿ha estado aquí en otras ocasiones?

EL EMPLEADO—Trataré de recordar por todos los medios que estén a mi alcance. Le diré la verdad, toda la verdad. Venga usted conmigo. *(Se dirige al privado seguido de cerca por el curioso, que no pierde ocasión de probar que lo es, y por el marido. Entreabre la puerta, mira y señala.)* ¿Se refiere usted a la señora vestida de negro, a la señora del velo?

EL CURIOSO—Pero ¿a cuál de ellas?

EL MARIDO—Sí, a la señora.

EL EMPLEADO—Un momento. Sí, es la misma. Creo que es la misma. La señora ha venido a buscar al abogado... espere usted... dos veces más. Con ésta es la tercera vez que la veo. Soy lo que se llama un mal fisonomista... pero la señora ha venido siempre así, con un velo, es decir, sin fisonomía. Y creo recordar que su presencia y su silencio me intrigaban... aunque no estoy seguro de que no sea sino hasta ahora cuando me intrigan.

EL MARIDO—Sin embargo, la señora le habló a usted.

EL EMPLEADO—Espere usted. Ahora me habló, pero la primera y la segunda vez que vino... quisiera recordar exactamente... ¿Qué día es hoy?

EL CURIOSO—Lunes.

EL MARIDO—*(Anhelante.)* Haga un esfuerzo, procure recordar.

EL EMPLEADO—Eso es; vino un lunes y luego el lunes de la semana siguiente. Espere usted... ¿Qué hora es?

EL CURIOSO—Las siete.

EL EMPLEADO—O, más bien, vino tres días seguidos a la misma hora, a esta hora... o tres veces el mismo día.

EL MARIDO—*(Impaciente.)* ¿Qué le ha dicho? ¿Qué le ha dicho a usted ahora, hace un momento?

EL EMPLEADO—Me dijo solamente: «No se moleste usted. Conozco el camino».

(Al oír esta frase, el marido se derrumba abatido en la silla. Los dos lo rodean.)

EL MARIDO—«Conozco el camino». No hay duda. Ha venido tres veces. Es ella.

EL EMPLEADO—¿Quién?

EL CURIOSO—¿Quién?

(El marido no contesta. Pausa.)

EL EMPLEADO—Puede usted decirlo todo con la seguridad de que su dolor será comprendido y respetado; de que si, como creo, es preciso guardar el secreto, sabremos guardarlo.

EL CURIOSO—Naturalmente.

EL EMPLEADO—*(Después de otra pausa.)* Si no se atreve a hablar y pensando que necesita hacerlo... yo podría interpretar sus sentimientos con las mismas palabras con que usted hablaría. Tengo esa costumbre. Desde pequeño confesaba los pecados cometidos por los demás. Tengo el don, el secreto o la habilidad, a veces muy dolorosos, de hacer hablar a las cosas y a los seres. De sus palabras, hago mis poesías; de sus confesiones, mis novelas... *(El marido hace un gesto de asombro.)* Mas no tema usted, no escribiré su novela: ya está escrita. Pero eso me impide dejarlo como a un náufrago, en medio de la tormenta, sin traerlo a la orilla de una confesión que usted necesita. No me diga nada. Yo imagino su caso y siento lo que imagino.

EL MARIDO—¡Imagine usted lo que siento!

EL CURIOSO—*(Sin poder resistir más tiempo.)* ¿Quién es ella? ¿Quién es?

EL MARIDO—*(Al empleado.)* Usted lo ha adivinado. Lo leo en sus ojos. Dígaselo usted. Yo no podría.

EL EMPLEADO—*(Al curioso.)* También usted puede leer en mis ojos.

(Cambian una mirada. El curioso lee en los ojos del empleado.)

EL CURIOSO—Sí, sí. *(Hablando consigo mismo.)* Pero ¿cuál de las tres?

EL MARIDO—Ahora todos lo sabemos. Fue ayer, por la noche, gracias a un anónimo, a este anónimo.

(Saca un pliego. El curioso se apodera de él, lo devora más que lo lee, y se lo ofrece al empleado, que lo toma y, sin mirarlo siquiera, lo pone en manos del marido.)

EL EMPLEADO—*(Se sienta. Y luego, con su voz más insinuante.)* Es inútil: conozco su estilo impersonal y directo. Durante varios siglos el hombre ha ejercitado esta forma literaria que alcanza a veces una perfección clásica: al mismo tiempo que dice cuanto tiene que decir, el autor permanece cobardemente invisible. «Preséntese el lunes por la tarde en el despacho del abogado Fernández y se convencerá de que su esposa lo engaña en sus propios ojos».

EL CURIOSO—*(Asombrado.)* ¡Eso es, poco más o menos!

EL EMPLEADO—¿Más, o menos?

EL CURIOSO—Menos.

EL EMPLEADO—Espere usted: «Con ésta será la tercera vez que su esposa visite al abogado Fernández. Conoce el camino».

(El curioso y el marido quedan suspensos; el anónimo dice lo mismo, ni más ni menos.)

EL MARIDO—*(En pie.)* ¿Cómo ha podido usted?...

EL CURIOSO—*(En pie.)* ¡Lo ha adivinado usted!

EL MARIDO—*(Sospechando del empleado.)* Un momento... Un momento. Usted no ha podido adivinarlo.

EL CURIOSO—Tiene usted razón, tiene usted razón. No era posible.

EL MARIDO—*(Colérico, agitando el anónimo.)* Usted lo ha escrito.

EL EMPLEADO—Cálmese usted. No tiene usted razón.

EL MARIDO—*(Todavía colérico.)* Usted lo ha escrito... *(Pero volviendo a la realidad de su situación.)* ¡Usted lo sabía todo!

EL EMPLEADO—*(Dueño, más que nunca, de sí.)* Nada sabía antes de que usted llegara, antes de que las cosas sucedieran como han sucedido. No soy el autor del anónimo. Tampoco hay por qué admirarse de que haya podido leerlo. Se trata de un anónimo como otro cualquiera. Yo los he escrito. Mejor dicho: mis personajes los han escrito. Y la realidad de esta situación ha hecho posible que yo reproduzca literalmente el texto.

EL CURIOSO—¡Es maravilloso!

EL EMPLEADO—Amigo mío, lo maravilloso no existe. Lo maravilloso es que lo maravilloso no existe. Aquello que juzgamos maravilloso no es sino una forma aguda, evidente, deslumbradora, de lo real.

EL CURIOSO—¡Pero si todo esto parece mentira!

EL EMPLEADO—Usted lo ha dicho: parece mentira. *(Acercándose al marido y poniéndole una mano en el hombro.)* Y por lo que a usted toca, querido amigo, permítame llamarlo así, piense en que la comodidad y la ignorancia en que se desarrollaba su vida no era más que una realidad vacía, un mundo deshabitado, un camino sin paisaje, un sueño sin ensueños: en una palabra, una muerte eterna; y en que ahora, como usted mismo acaba de decirlo, gracias a un anónimo, es decir, gracias a una revelación, a la revelación de un secreto, se halla usted en el umbral de una existencia que podrá discutir, corregir y labrar a su antojo, del mismo modo que el artista discute, corrige y labra su obra en progreso. *(Pausa muy corta.)* Y ahora nada más tengo que decirle. A usted le toca poner manos a la obra o apartar de la obra las manos. Nada debo, nada quiero, nada puedo aconsejarle. No me queda sino desaparecer.

EL CURIOSO—Tiene usted razón. *(Llamando aparte al empleado.)* También yo debo retirarme, pero ¿con qué pretexto? Quisiera encontrar algo que dé la impresión de que no estoy prestándole un servicio. No quisiera herirlo...

EL EMPLEADO—Busque usted...

(Súbitamente inspirado, el curioso se dirige al marido y en un tono alegre, despreocupado, se despide diciendo.)

EL CURIOSO—Bueno, señores. Tanto gusto. Muy buenas noches.

EL MARIDO—*(Confundido.)* ¿Se va usted?

EL CURIOSO—No lo creerán ustedes, pero he olvidado el objeto de mi presencia en este despacho y en cambio creo recordar que a esta hora tengo una cita importante. Estoy seguro de que, si permanezco al lado de ustedes por más tiempo, olvidaré también ese compromiso, como olvido todo. Padezco esa enfermedad que los médicos llaman... ¿cómo la llaman?

EL EMPLEADO—Amnesia.

EL CURIOSO—Eso es; amnesia. ¿He dicho amnesia?... Buenas noches. *(Se inclina y sale.)*

ESCENA V

EL MARIDO, EL EMPLEADO

(El empleado se dirige a cerrar cuidadosamente la puerta. El marido se halla, mientras tanto, en el centro de la sala, de pie, incierto, como en el cruce de dos caminos, sin saber qué puerta tomar a su vez. El empleado se acerca con lentitud. Quedan frente a frente, sin palabras, inmóviles. Una pausa profunda, un hueco del tiempo, deja como plasmadas y recortadas sus figuras en una especie de vista fija. Se tiene la impresión de que esto seguirá así indefinidamente si algo ajeno, indiferente, casual, no viene a romper esta inmovilidad, a poner en movimiento la escena de un teatro de cuerda. Se oye, por fin, el timbre del privado.)

EL MARIDO—*(Estremeciéndose, recobra la vida.)* ¿Ha oído usted?

EL EMPLEADO—*(Despertando.)* Sí. *(Sin moverse, rígido, contesta en empleado.)* Voy en seguida. *(Luego, humanizándose, se acerca al marido.)* ¿Me creerá usted si le digo que lo envidio con todas mis fuerzas; que daría cualquier cosa por hallarme en su lugar?... Es usted el empresario de un espectáculo en el que será al mismo tiempo el creador, el actor y el espectador. Piense usted que yo, en cambio, vivo miserablemente, como un ladrón, de los trozos de vida que robo a los demás en momentos de distracción, de ausencia o, como ahora, de azar. El mismo timbre que me recuerda mi muerte cotidiana lo llama a usted a una vida nueva. *(Se oye la llamada del timbre. Automático otra vez, el empleado contesta.)* Voy en seguida.

EL MARIDO—Espere un momento. Quisiera pedirle un favor.

EL EMPLEADO—*(Humanizándose.)* Diga usted.

EL MARIDO—Estoy seguro de que si usted no acude pronto, ella saldrá. Está impaciente. Yo prefiero hablarle aquí y, si usted lo permite, hablarle sin luz.

(El empleado apaga la luz más viva. Queda una opaca luz de acuario.)

EL EMPLEADO—¿Es bastante?

EL MARIDO—Sí.

EL EMPLEADO—¿Quiere usted algo más?
EL MARIDO—Gracias, eso es todo. *(Se oye el timbre del teléfono. El empleado duda un momento si contestar o no.)* Responda. *(El empleado se dirige al teléfono. Descuelga la bocina y la deposita suavemente en la mesa.)*
EL EMPLEADO—¡Qué nos importa lo que viene de fuera! Ahora nadie le molestará.
EL MARIDO—*(Emocionado.)* Gracias.
EL EMPLEADO—Hasta luego, pues.
EL MARIDO—Hasta luego. *(Y al tiempo que el empleado sale por la puerta de la derecha, casi para sí.)* Gracias.

ESCENA VI

EL MARIDO, LAS TRES SEÑORAS

(Una pausa. Se abre la puerta del privado y aparece la primera señora. El marido da un paso hacia ella. La señora hace un gesto de sorpresa al hallarse en un lugar casi sin luz; duda si volver al privado, si llamar; se dispone al fin a salir cuando el marido se le acerca y con una voz que quiere ser firme le dice:)

EL MARIDO—¡Mariana! *(Pausa.)* ¿Por qué has venido? Lo sé todo gracias a este papel. Podría matarte, pero tu cuerpo no sentiría la venganza que te reservo... *(La señora, sorprendida, hace un gesto que anuncia que va a hablar.)* Ni una palabra. ¡Fuera de aquí! ¡En seguida! ¡No hables! ¡Aquí no! *(Cubriéndose la cara.)* ¡Aquí no!

(La primera señora ahoga un grito y sale aprovechando este momento. Pausa. Cuando el marido se descubre la cara, se abre la puerta del privado y aparece la segunda señora. El marido, al verla, con una voz que cede.)

¿Por qué has vuelto? No sé si te has puesto ese velo para ocultar tu vergüenza o tu desvergüenza... Mira, también yo he velado mi cara: he apagado la luz... También yo soy un cobarde... ¡Si pudieras no volver! Vámonos de aquí. Vámonos... Si pudieras no volver...

(La segunda señora ahoga un grito como la anterior y sale rápidamente.)

Espera, espera.

(Busca su sombrero. No lo encuentra; lo encuentra al fin. Va a salir tras ella, pero algo lo imanta a su espalda: es la tercera señora, que ha abierto la puerta del privado y que aparece en el umbral. El marido al verla se dirige hacia ella y queda vencido, encogido, trémulo hasta el final.)

Ya lo ves. Aquí estoy... No puedo dejar de venir. Te espío. Te espero. Sigo tus pasos. No he podido vengarme... Te reservaba un odio constante, diario, secreto... pero todo no ha sido sino un amor nuevo, más agudo y más lúcido que el otro.

(La tercera señora cruza rápidamente la sala y antes de salir ahoga el mismo grito. El marido queda anulado, inmóvil, sin fuerzas para seguirla, en medio de la sala. Pausa. Se abre la puerta del fondo y entra el abogado. Se asombra de hallar oscura la sala. Se dirige al conmutador. Enciende la luz. Encuentra el audífono descolgado. Lo toma y habla.)

Escena VII

El marido, El abogado

El abogado—Bueno... Bueno... *(Cuelga el audífono.)*

(Mira extrañado al marido que se recobra rápidamente. Parece que va a preguntarle algo. No lo hace. Se dirige al privado y ya en la puerta invita con un ademán al marido a entrar. Luego con la voz:)

Pase usted, tenga la bondad.

El marido—En seguida, en seguida.

(Y en vez de pasar al privado al tiempo que responde: «En seguida, en seguida», el marido sale precipitadamente por la puerta del fondo ante el asombro del abogado.)

T E L Ó N

Xavier Villaurrutia

¿En qué piensas?

(Misterio en un acto)

PERSONAJES

CARLOS
VÍCTOR
RAMÓN
MARÍA LUISA
UN DESCONOCIDO

TODOS MENORES DE TREINTA AÑOS

(En el estudio de Carlos: Un diván, un sillón, mesa y sillas. Dos o tres cuadros. La antesala, en el fondo, comunica por una puerta sin hojas. A la derecha, la pared se halla casi totalmente sustituida por una vidriera. A la izquierda, puerta que da al cuarto de Carlos. Carlos espera; enciende un cigarrillo, hojea sin atención una revista, se asoma a la ventana; apaga el cigarrillo, toma la revista. Se oye el timbre de la puerta de entrada. Carlos pasa a la antesala con el objeto de abrir la puerta. Se oyen las voces de Carlos y Víctor.)

ESCENA I

CARLOS, VÍCTOR

LA VOZ DE CARLOS—Ah, ¿eres tú?

LA VOZ DE VÍCTOR—Sí, yo. ¿Te sorprende?

CARLOS—*(Entrando.)* Sorprenderme precisamente, no.

VÍCTOR—*(Entrando.)* Pero no me esperabas, ¿verdad?

CARLOS—Claro que no.

VÍCTOR—Naturalmente.

CARLOS—Siéntate.

VÍCTOR—Pero esperabas a alguien, ¿verdad?

CARLOS—*(Evasivo.)* Siéntate.

VÍCTOR—¿Por qué no me respondes?

CARLOS—*(Sonriendo.)* ¿Por qué no te sientas?

VÍCTOR—*(Se sienta.)* ¿Esperabas a alguien?

CARLOS—Esperar precisamente, no.

VÍCTOR—*(Pausa. Se levanta.)* Y, sin embargo, todo en ti y fuera de ti parece estar dispuesto a esperar: la bata, la revista que no has leído, a pesar de que la tomaste para distraer los minutos de espera; el cenicero que muestra los cadáveres de tres cigarillos apagados antes de tiempo; el nudo de la corbata en su sitio; el peinado perfecto, con todos sus brillos. No puedes negar...

CARLOS—*(Se levanta. Interrumpiéndolo.)* Tampoco tú puedes negar.

VÍCTOR—*(Interrumpiéndolo.)* Yo no niego: afirmo.

CARLOS—También yo afirmo.

VÍCTOR—Tú niegas.

CARLOS—Yo afirmo y tú no podrás negar que espías.

VÍCTOR—*(Descubierto; lentamente; se sienta.)* Yo no espío; observo, eso es todo.

CARLOS—Vienes aquí todas o casi todas las noches, y nunca antes de hoy has hecho observaciones tan agudas y tan desinteresadas.

VÍCTOR—No te enfades.

CARLOS—No me enfado; observo, eso es todo. *(Se sienta.)*

VÍCTOR—*(Jugando el todo por el todo.)* Pero esperas a alguien, ¿verdad?

CARLOS—*(Después de un breve silencio.)* Sí. *(Otro silencio.)* Tú me espías, ¿verdad?

VÍCTOR—*(Pausa.)* Sí. *(Pausa.)* ¿Me has visto desde la ventana? Yo te veía recorrer de un lado a otro el estudio, accionando, hablando con alguien. Entonces no pude resistir más tiempo y me impuse la decisión de subir.

CARLOS—Pero ¿se puede saber por qué me espías?

VÍCTOR—Oh, eso es más difícil.

CARLOS—Y ¿por qué has subido?

VÍCTOR—Oh, eso es más difícil aún.

CARLOS—Y, no obstante, has confesado que me espías.

VÍCTOR—Sí, he confesado.

CARLOS—Y, además, has subido.

VÍCTOR—Ya lo ves. *(Pausa.)*

CARLOS—¡A lo que hemos llegado! Tú me espías...

VÍCTOR—*(Completando la frase.)* Y tú me mientes.

CARLOS—Sin embargo, yo podría decirte por qué he mentido, por quién he mentido; no directamente, sino representando por medio de una letra lo que no es posible nombrar de otro modo. En cambio, tú no podrías, ni aun así, decirme por qué razón me espías.

VÍCTOR—Es verdad, ni aun así podría decírtelo.

CARLOS—*(Triunfante.)* Ya lo ves.

VÍCTOR—*(Con rabia, rápidamente.)* Pero en cambio puedo decirte, en cualquier momento, ahora mismo, quién es la persona cuyo nombre pretendes sustituir hipócritamente con un signo algebraico.

CARLOS—Tal vez.

VÍCTOR—Seguramente.

CARLOS—Seguramente; ya veo que eres capaz de todo.

VÍCTOR—*(Bajando la voz.)* Se trata de María Luisa... ¿verdad?

CARLOS—Eso dices.

VÍCTOR—*(Rápidamente, en voz alta.)* No lo niega. No lo niega. Luego es ella.

CARLOS—Menos mal que te da gusto que sea ella.

VÍCTOR—*(Asombrado.)* ¿Que me da gusto? ¿He dicho, he hecho algo que te haga pensar que me da gusto? Por el contrario... *(Se detiene arrepentido.)*

CARLOS—Por el contrario, te molesta, ¿no es así?

VÍCTOR—Desde luego no me da gusto.

CARLOS—Entonces te molesta.

VÍCTOR—Me molesta, si quieres.

CARLOS—No, yo no quiero. Eres tú el que gusta de atormentarse con estas cosas.

VÍCTOR—¿La quieres todavía?

CARLOS—Ya sabes que entre María Luisa y yo todo ha terminado.

VÍCTOR—*(Incrédulo.)* ¿Todo? *(Carlos no contesta.)* Y, no obstante, ella va a venir a verte.

CARLOS—Sí.

VÍCTOR—Y tú has dispuesto todo para esperarla como en otros tiempos.

CARLOS—Es la costumbre y sólo la costumbre. Tú sabes que yo me arranqué voluntariamente esa pasión por María Luisa. Aquello fue, como tú decías, una mutilación.

VÍCTOR—Sólo que, por lo visto, del mismo modo que el enfermo a quien han amputado una mano aún siente la presencia de esa mano, te duele y quisieras consolarte, consolándola; acariciarte, acariciándola.

CARLOS—¿Y si así fuera...?

VÍCTOR—*(Irónico.)* Es verdad, yo no tengo derecho a despertarte. Sería inhumano contribuir a que dejes de seguir creyendo que aún tienes la mano que ya no tienes.

CARLOS—¡Imbécil! *(Luego, afectuoso.)* ¡Cómo tendré que explicarte que un día me dije: «Todo, esto debe acabar», y que desde ese día...!

VÍCTOR—*(Después de recorrer con la mirada el estudio.)* ¡Ya lo veo!

CARLOS—¿No me crees?

VÍCTOR—No. No te creo porque no es posible, cuando se trata de María Luisa, decir: todo se ha acabado. Si, por el contrario, cerca de ella todo parece dispuesto a nunca acabar: la mañana, la noche, la conversación, la alegría..., la duda.

CARLOS—*(Soñando, involuntariamente.)* Es verdad, es verdad.

VÍCTOR—¡Lo ves!

CARLOS—*(Despertando.)* Y, no obstante, yo me dije: «Esto debe acabarse», y se acabó.

VÍCTOR—¿Se acabó?

CARLOS—Se acabó, créeme. Es inútil que espíes... Por lo menos, es inútil que me espíes.

VÍCTOR—¿Qué quieres decir? María Luisa en persona me dijo que hoy vendría a verte.

CARLOS—¿Y tú qué le dijiste?

VÍCTOR—Que no viniera, porque, de lo contrario, todo acabaría entre nosotros.

CARLOS—¿Y qué te dijo?

VÍCTOR—Dulcemente, suavemente, me dijo que vendría a verte y que, además, no acabaríamos. Si la hubieras visto en el momento en que dijo esto, habrías comprendido que nunca, nunca acabaremos.

CARLOS—¡Y a pesar de eso la espías!

VÍCTOR—No, no es a ella a quien espío, te lo juro.

CARLOS—No necesitas jurarlo, es a mí a quien espías.

VÍCTOR—Quería saber si la esperabas.

CARLOS—Y cómo la esperaba.

VÍCTOR—Eso es.

CARLOS—Entonces, ahora que sabes que la espero y cómo la espero, te irás.

VÍCTOR—*(Inmutable.)* No sé.

CARLOS—¡Cómo «no sé»!

VÍCTOR—No sé si podré irme. No sé si tendrás el valor de obligarme a que me vaya.

CARLOS—No seas tonto. Te he dicho que eso de María Luisa me lo arranqué para siempre.

VÍCTOR—Pero... ¿no la sientes?, ¿no te duele?, ¿no te hormiguea?

CARLOS—¿Qué?

VÍCTOR—¡Esa mano!

CARLOS—¿Qué mano?

VÍCTOR—¡Ya lo ves! Se te olvida que ya no es tuya, que ya no la tienes. Involuntariamente crees que aún eres dueño de ella, que ella sigue formando parte de ti. Involuntariamente te has preparado para recibirla como cuando era... *(Se detiene.)*

CARLOS—*(Continúa.)* Mía.

VÍCTOR—*(Con esfuezo.)* Eso es: tuya.

CARLOS—Si te dijera que nunca tuve la sensación de que María Luisa fuera mía, ¿me creerías?

VÍCTOR—Si lo dices para consolarme...

CARLOS—No lo entiendes. Quiero decir que María Luisa se me escapaba siempre, insensiblemente, cuando estaba cerca de mí. Con frecuencia tenía yo la sensación de que se ausentaba en el pensamiento; yo le preguntaba: «¿En qué piensas?», y en vez de contestarme como contesta todo el mundo, con la sonrisa de quien vuelve a la realidad:

«En nada», me respondía con la misma sonrisa, volviendo de su ausencia a la misma realidad: «En ti». ¡En ti, en ti! Pero ese ti ¿era yo? No, seguramente. Ese ti eras tú, era otro, era quién sabe quién o quién sabe qué. Y, no obstante, nada podía yo decirle, porque su respuesta era irreprochable.

VÍCTOR–Pero ¿es posible?

CARLOS–Si quieres convencerte, cuando esté sola, a tu lado, abstraída, pregúntale: «¿En qué piensas?»

VÍCTOR–*(Reaccionando.)* Nunca se lo preguntaré. Quieres atormentarme.

CARLOS–Por el contrario, pretendo tranquilizarte haciéndote saber que ella no me quiso nunca.

VÍCTOR–Pero a mí sí me quiere.

CARLOS–*(Con el veneno más dulce.)* ¿Lo dices porque piensa «en ti»?

VÍCTOR–Tienes razón: no sé cómo he podido afirmar que me quiere. Si así fuera, no vendría a verte esta noche y, no obstante...

CARLOS–Vendrá. Pero eso no prueba que no te quiera. Bien puede venir y seguir queriéndote, si te quiere.

VÍCTOR–Es incomprensible.

CARLOS–Pero así es. No hay remedio.

VÍCTOR–¿Estás seguro?

CARLOS–Completamente seguro. *(Pausa breve.)*

VÍCTOR–Contigo... ¿era también así?

CARLOS–No. Tenía otra manera de quererme; es decir, de no quererme. «Sabes —me decía—, esta noche rehusé una invitación de Antonio. Antonio es delicioso. Estoy segura de que me habría divertido mucho; pero, ya lo ves, te quiero y aquí me tienes a tu lado». Al poco rato, su imaginación viajaba, y era entonces cuando yo le preguntaba: «¿En qué piensas?», y cuando ella me respondía: «En ti».

VÍCTOR–Pero eso es horrible.

CARLOS–Sí, horrible, pero irreprochable. *(Un silencio.)* Creo, sinceramente, que si yo tuviera que escoger, preferiría, al modo como me quería, el modo como dices que te quiere.

VÍCTOR–¿Qué cosa?

CARLOS–Al menos a ti parece decirte: «Me voy, con otro; pero pierde cuidado, allá estaré pensando en nuestro amor».

VÍCTOR–¡Si alguien me asegurase que eso es verdad, que estando aquí piensa en nuestro amor...!

CARLOS–*(De pie. Rápidamente.)* ¿Me dejarías solo con ella? ¿Te irías? *(Víctor no contesta, Carlos se sienta; y dulcemente:)* Ni yo ni nadie puede asegurártelo. Nada concreto, nada cierto sabemos de María Luisa. Cuando decimos que no piensa lo que dice...

VÍCTOR—*(Interrumpiéndolo.)* Eso es concretamente: no piensa lo que dice.

CARLOS—Déjame terminar. Damos a entender que en otras ocasiones María Luisa piensa...

VÍCTOR—*(Interrumpiéndolo.)* Cuando no dice lo que piensa, por ejemplo.

CARLOS—Pero ¿estamos seguros de que María Luisa piensa? Pensar, lo que se llama pensar, esto que hacemos ahora nosotros: dudar, afirmar, deducir, perseguir y rodear la verdad, ¿crees que ella lo hace alguna vez? *(Pausa.)* ¿Por qué no contestas? No te atreves a decir que nunca lo hace. Pues bien, yo creo que si María Luisa pensara un minuto, un minuto solamente, se le enronquecería la voz, se le abrirían los poros, le brotaría un vello superfluo en la cara...

VÍCTOR—Sería horrible.

CARLOS—Sí, horrible; pero no hay ningún peligro de que esto suceda.

(Se oye el timbre de la puerta de entrada. De pie, Carlos y Víctor quedan suspensos. Luego, Víctor vuelve a acomodarse tranquilamente en su asiento, ante la doble sorpresa de Carlos que, nerviosamente, le dice:)

Pero ¿no has oído?

VÍCTOR—Sí, he oído.

CARLOS—¡Y no te mueves! Supongo que querrás irte. Puedes hacerlo por aquí *(indica la puerta de la izquierda)*, sin que ella te vea, o bien...

VÍCTOR—Puedes abrir la puerta. No es ella.

CARLOS—¿No es ella? Pero si no espero a nadie más.

VÍCTOR—Tampoco a mí me esperabas. Te digo que no es ella. Estás inquieto y tienes dos esperanzas que te impiden ver otra cosa: la esperas a ella y esperas que yo me retire. Yo sólo espero que ella no venga. Estoy celoso y los celos me dan una lucidez increíble. La llamada, que en un principio me pareció, como a ti, de María Luisa, no es, no puede ser suya. *(Se oye otra vez el timbre.)* ¿Oíste? Es una llamada fría, indiferente.

CARLOS—Te aseguro que es ella.

VÍCTOR—No es ella... todavía. Si no abres, abriré yo mismo y te convencerás.

CARLOS—*(Resignado, yendo a abrir la puerta.)* Está bien, iré. *(Víctor queda inmóvil sin volver la cabeza. Se oye la voz de Carlos.)* ¡Ah! ¡Eres tú!

(Entran Carlos y Ramón.)

ESCENA II

VÍCTOR, CARLOS Y RAMÓN

VÍCTOR—*(A Carlos.)* ¿Ya lo ves?

RAMÓN—¡Qué! ¿Me esperaban? ¿Hablaban de mí?

CARLOS—No.

VÍCTOR—*(Simultáneamente.)* Sí.

RAMÓN—¿Por fin?

CARLOS—Sí.

VÍCTOR—*(Simultáneamente.)* No.

RAMÓN—Siquiera por cortesía pónganse de acuerdo. *(Silencio. Se quita el abrigo y lo deja en el diván. Carlos y Víctor cambian una mirada de cómplices ante la desdicha que ahora los une.)* Ya veo que estorbo. No obstante...

CARLOS—No obstante...

RAMÓN—Me quedaré. Pero sólo por un momento. *(Se sienta. Pausa breve.)* ¡Y pensar que estuve a punto de venir acompañado!

CARLOS—¡Sólo eso nos faltaba!

VÍCTOR—*(Alzando la cabeza. Interesándose. Casi al mismo tiempo.)* ¿Acompañado? ¿Por quién?

RAMÓN—Por María Luisa. *(Carlos hace un gesto de asombro. Víctor sonríe.)* Nos encontramos precisamente en la puerta de la casa. Me preguntó si venía a verte y, aunque yo no lo había pensado, me pareció que, en efecto, no era una mala idea, y le dije que sí. Le pregunté si ella también venía a verte, y, me dijo que no, que iba de compras.

CARLOS—¿Te dijo que no?

VÍCTOR—¿Te dijo que iba de compras?

RAMÓN—Me dijo ambas cosas.

CARLOS—*(A Ramón.)* Entonces, ¿crees que no vendrá?

VÍCTOR—Claro que no vendrá: mientras Ramón esté aquí con nosotros, contigo, pero apenas lo vea salir...

RAMÓN—¿Qué quieres decir?

CARLOS—*(A Víctor.)* ¿Luego tú crees que, a pesar de todo, vendrá?

VÍCTOR—*(No contesta. A Ramón.)* ¿Te ha dicho algo más?

RAMÓN—Me preguntó si Carlos me esperaba.

CARLOS—¿Qué le dijiste?

RAMÓN—La verdad: que no.

VÍCTOR—*(A Ramón.)* ¿Te preguntó si tu visita a Carlos sería larga?

RAMÓN—No, eso no me lo preguntó: se lo dije yo. «Quiero que me preste algo que leer y me iré en seguida a casa. Me siento fatigado», le dije.

VÍCTOR—*(Casi para sí, otra vez. Con los codos en las piernas. Con la cabeza en las manos.)* ¡Es horrible!

CARLOS—*(A Víctor.)* Entonces, ¿crees que María Luisa no ha desistido?

VÍCTOR—No ha desistido: vendrá.

RAMÓN—*(Que ha comprendido algo, muy poco, de lo que sucede. A Carlos.)* Dame, pues, un libro. Me iré. *(Se levanta. Toma su sombrero y su abrigo.)*

CARLOS—*(Aparentando tranquilidad.)* ¿Qué libro quieres?

RAMÓN—Cualquiera. Un libro cualquiera. Ya veo que lo importante es que yo me despida de ustedes y salga a la calle con un libro en la mano: el autor no importa.

CARLOS—Como quieras. Se hará lo que gustes.

VÍCTOR—*(A Ramón.)* Entonces quédate.

CARLOS—No, no se quedará. Ha comprendido que debe irse.

RAMÓN—He comprendido que debo irme, pero me gustaría quedarme.

CARLOS—¿Sí? Voy en busca del libro. *(Sale.)*

ESCENA III

VÍCTOR Y RAMÓN

VÍCTOR—*(Rápidamente.)* Si pudieras quedarte, con cualquier pretexto.

RAMÓN—Si permanezco más tiempo en el estudio, abrirá la puerta y me echará a la calle.

VÍCTOR—Es verdad.

RAMÓN—Pero ¿qué sucede? Dímelo en pocas palabras.

VÍCTOR—¿En pocas palabras? Imposible.

RAMÓN—Se trata de María Luisa, ¿verdad?

VÍCTOR—Si tú quisieras, al salir podrías decirle... porque ella estará en la esquina o en la tienda o en cualquier otra parte cerca de aquí, esperando que salgas... podrías decirle...

RAMÓN—Qué cosa?

VÍCTOR—¿Lo harías por mí?

(Sin ser visto, con un libro en la mano, aparece Carlos en el umbral de la puerta y se detiene al oírlos hablar en tono confidencial.)

RAMÓN—Qué debo decirle? Dilo pronto...

VÍCTOR—Que estoy aquí, que no debe subir. ¿Se lo dirás?

RAMÓN—*(Al darse cuenta de la presencia de Carlos.)* Um.

ESCENA IV

VÍCTOR, RAMÓN, CARLOS

CARLOS—*(Desde el umbral a Ramón.)* No. *(Arroja el libro sobre el diván. A Víctor.)* No se lo dirá. *(A Ramón.)* Has dicho que te gustaría quedarte aquí y te daré gusto.

VÍCTOR—Me parece muy bien. Nos quedaremos.

CARLOS—Se quedarán aquí, en su casa. Soy yo quien se va a esperar, en la puerta, a María Luisa.

VÍCTOR—¿Serás capaz?

RAMÓN—Yo no puedo quedarme. Vine a pedirte un libro..., me siento mal.

CARLOS—En la otra pieza tendrás todos los libros que gustes. Y, en último caso, puedes pasar aquí la noche. *(A Víctor.)* En cuanto a ti...

VÍCTOR—*(De pie.)* Saldremos juntos.

CARLOS—Por ningún motivo. Saldré solo. Te quedas en tu casa.

VÍCTOR—¿Debo entender que estás decidido a hacerme una mala jugada?

CARLOS—Debes entender que, puesto que no puedo esperar a María Luisa aquí, en mi estudio, he decidido esperarla en la puerta de la casa. Así no le darán tus recados. María Luisa y yo iremos a cualquier parte, no sé...

VÍCTOR—Eso quiere decir que me has mentido, que aún la quieres.

CARLOS—Eso quiere decir que si me ha prometido venir es porque quiere hablar conmigo a solas.

VÍCTOR—¿Hablarte? ¿De qué pueden ustedes hablar ahora?

CARLOS—No lo sé. Justamente, si la espero es para saberlo.

VÍCTOR—*(Amargamente.)* Y no temes que María Luisa no sólo venga a hablar contigo...

RAMÓN—Eso no se teme. Más bien se desea.

VÍCTOR—*(A Ramón.)* ¡Imbécil!

CARLOS—Si yo no bajo a esperarla, ella no subirá y nunca sabré el objeto de su visita.

VÍCTOR—Es verdad, nunca lo sabremos.

CARLOS—*(Triunfante.)* Luego estás de acuerdo en que debo bajar.

VÍCTOR—Creo que es irremediable.

CARLOS—Entonces bajaré. *(Empieza a quitarse la bata y sale por la puerta que da a su pieza.)*

ESCENA V

VÍCTOR, RAMÓN, LA VOZ DE CARLOS

VÍCTOR—*(Rápidamente.)* ¿Crees que sea capaz de decirme luego la verdad?

RAMÓN—Si la verdad es en favor suyo...

VÍCTOR—Tienes razón, sólo así.

RAMÓN—En su caso, ¿le dirías toda la verdad? *(Víctor no responde.)* Vamos, dilo francamente.

VÍCTOR—Creo que no.

RAMÓN—Si yo pudiera hablarle. Si ella me tuviera confianza o yo se la inspirara... le preguntaría por qué viene a visitar a Carlos. Y luego...

VÍCTOR—Me dirías la verdad.

RAMÓN—Naturalmente.

VÍCTOR—Entonces ... *(Se oye en este momento el timbre de la puerta de entrada. Un sonido breve, ligero, anuncia a María Luisa.)* Un momento... es ella.

LA VOZ DE CARLOS—¡Qué! ¿Han llamado?

VÍCTOR—*(A Carlos, gritando.)* No han llamado. Es tu conciencia. *(A Ramón.)* Recíbela tú. Háblale; pregúntale la verdad. Yo impediré que Carlos salga antes de que tú lo sepas todo. Lo convenceré.

(Sale al cuarto de Carlos. Cierra la puerta. Ramón sale a abrir la puerta de entrada. Se oye la voz pura, cándida, dulce, benévola, a veces como de niña, a veces como de estatua, de María Luisa.)

ESCENA VI

RAMÓN, MARÍA LUISA

LA VOZ DE MARÍA LUISA—¡Oh, usted aquí!
LA VOZ DE RAMÓN—Pase usted, María Luisa. *(Entran.)* ¿No esperaba encontrarme? Me disponía a salir. Ya ve usted. Aquí está el libro. Aquí mi abrigo... y mi sombrero.
MARÍA LUISA—*(Indiferente.)* Ya los veo. ¿Y Carlos?
RAMÓN—Se está vistiendo.
MARÍA LUISA—*(Inocente.)* ¡Qué! ¿Estaba desnudo?
RAMÓN—Sí, en el baño.
MARÍA LUISA—*(Como para sí.)* Es curioso.
RAMÓN—¿Qué?
MARÍA LUISA—Nunca antes había imaginado a Carlos desnudo.
RAMÓN—Luego... ¿también ustedes imaginan?
MARÍA LUISA—¡Qué se imagina usted! *(Como para sí.)* Pero a Carlos... Es curioso; no puedo imaginarlo sin cuello siquiera. Cierro los ojos y lo veo con la corbata siempre en su sitio, con el pañuelo en el suyo; irreprochable.

(Ramón se ha compuesto impensadamente la corbata, el pañuelo. Se sientan.)

RAMÓN—Y a Víctor, ¿cómo lo imagina usted?
MARÍA LUISA—No sé... en traje de sport... en traje de baño.
RAMÓN—*(Sin, malicia.)* ¿En traje de baño?
MARÍA LUISA—*(Representándoselo.)* Sí, en traje de baño.
RAMÓN—Y... ¿a mí?
MARÍA LUISA—*(Sin enojo.)* Qué tonto es usted. A usted no lo imagino de modo alguno. Usted...
RAMÓN—Yo...
MARÍA LUISA—No existe.
RAMÓN—¿Que yo no existo?
MARÍA LUISA—Al menos para mí. *(Pausa breve.)* Usted no me ha amado nunca, usted no me ama, luego...

RAMÓN—No existo.

MARÍA LUISA—Eso es.

RAMÓN—Es verdad que no la he amado nunca, que no la amo, pero...

MARÍA LUISA—¿Qué?

RAMÓN—He amado a otras mujeres... a otra mujer.

MARÍA LUISA—¿Es posible? *(Transición.)* ¡Qué tonta soy! Usted ha amado a otra mujer, luego...

RAMÓN—Existo.

MARÍA LUISA—Tal vez. Pero ¿dice usted que ya no la ama?

RAMÓN—Pero la amé.

MARÍA LUISA—Oh, entonces quién sabe si la ama usted aún.

RAMÓN—No sé, tal vez; la verdad, no comprendo...

MARÍA LUISA—¡No comprender! Yo, por ejemplo, no tengo por qué amar a Carlos, puesto que ya no me ama y, no obstante, comprendo por qué, para qué estoy aquí, en su estudio.

RAMÓN—Entonces, ¿usted ama a Carlos?

MARÍA LUISA—Si es que lo amo, no comprendo por qué lo amo.

RAMÓN—Pero... ¿a Víctor?

MARÍA LUISA—*(Con cansancio.)* Es fácil saber por qué lo amo; me cela, me sigue, me obedece, me acaricia...

RAMÓN—La cansa, ¿no es verdad?

MARÍA LUISA—No, no es verdad. Es decir: me cansa; pero sobre todo, me ama.

RAMÓN—En cuanto a Carlos...

MARÍA LUISA—Me evita, me olvida; le soy indiferente...

RAMÓN—Y no obstante, usted lo ama.

MARÍA LUISA—No lo sé. He venido a saberlo, quizás. Eso es: he venido a saberlo. Pero ya ve usted, Carlos no está aquí. Carlos no quiere verme.

RAMÓN—Sí está. Sí quiere verla.

MARÍA LUISA—Pero está desnudo; es decir, invisible para mí. Si entrara en este momento, tendría yo que cerrar los ojos.

RAMÓN—Y no obstante, hace un momento, con los ojos cerrados, lo imaginó usted, a pesar suyo, desnudo.

MARÍA LUISA—*(Cerrando los ojos, estremeciéndose.)* Sí, desnudo, delgado, ¡horrible!

RAMÓN—Tal vez se equivoque su imaginación.

MARÍA LUISA—Imposible. Nuestra imaginación no se equivoca. Usted, por ejemplo, desnudo...

RAMÓN—*(Temeroso.)* No, por Dios. No lo diga usted.

MARÍA LUISA—*(Con su voz más cándida.)* ¿Tiene usted algún defecto físico? Pero no se preocupe. Usted... usted no existe. Me olvidaba de que usted no existe. *(Pausa.)*

RAMÓN—Y... ¿es muy difícil existir para usted? *(María Luisa no contesta. Se ha quedado pensando en otra cosa.)* ¿Por qué no me responde?... ¿En qué piensa?

MARÍA LUISA—*(Despertando.)* En ti. *(Se asombra de su frase.)* ¡Oh! ¿Qué he dicho?

RAMÓN—*(Tímidamente.)* Ha dicho que pensaba en mí.

MARÍA LUISA—No, no es posible. Cuando usted me preguntó: «¿En qué piensa?», yo le respondí: «En nada». En nada; ¿en qué otra cosa podía pensar?

RAMÓN—...Tal vez.

MARÍA LUISA—¿Lo duda usted?

RAMÓN—*(Dudando más que antes.)* No, no lo dudo.

MARÍA LUISA—¿Verdad que he dicho que no pensaba «en nada»?

RAMÓN—Es verdad.

MARÍA LUISA—Qué bueno es usted.

RAMÓN—*(Asustado de su frase.)* No quise decir eso.

MARÍA LUISA—No quiso decirlo, pero es verdad. *(Pausa. Ramón se ha quedado pensativo.)* ¿En qué piensa?

RAMÓN—*(Despertando.)* En nada.

MARÍA LUISA—Dígalo usted. Téngame confianza. *(Se acerca a Ramón.)*

RAMÓN—No digo más que la verdad.

MARÍA LUISA—Entonces diga: «pensaba en mí».

RAMÓN—«Pensaba en mí».

MARÍA LUISA—No en usted: «en mí».

RAMÓN—Eso es: «pensaba en usted».

MARÍA LUISA—«En ti».

RAMÓN—«En ti».

MARÍA LUISA—Ya lo ve usted. Sin darse cuenta, sin saberlo, pensaba usted «en mí».

RAMÓN—*(Arrobado.)* Es verdad, sin darme cuenta.

MARÍA LUISA—Y además, sin pensarlo, me ha hablado de tú.

RAMÓN—Sí, de tú. *(Luego, despertando.)* Dispénseme, María Luisa.

MARÍA LUISA—No has cometido falta. Ya ves, también yo, sin pensarlo, te hablo de tú.

RAMÓN—*(Como un eco.)* De tú.

MARÍA LUISA—Hablémonos, desde ahora, de tú. De todos modos, algún día, o quién sabe, mañana...

Ramón—Algún día, o mañana...

María Luisa—Me amarás.

Ramón—Sí... te amaré. *(Despertando.)* Pero ¿y Carlos?

María Luisa—Carlos me amó.

Ramón—¿Y Víctor?

María Luisa—Víctor me ama. Pero tú me amarás. No ahora, no; algún día.

Ramón—*(Arrobado.)* Sí, algún día... mañana tal vez.

María Luisa—*(Como un eco.)* Tal vez.

Ramón—Pero si Carlos te amó y Víctor te ama...

María Luisa—*(Continuando la frase.)* Tú me amarás.

Ramón—Pero tú ¿a quién amas?

María Luisa—Yo amo, simplemente. Amo a quien me ama.

Ramón—¿Pero no crees que es preciso optar, escoger? ¡Porque los tres a un tiempo...

María Luisa—A un tiempo, no; en el tiempo.

Ramón—¿Cómo?

María Luisa—En el pasado, en el presente, en el mañana.

Ramón—*(Arrobado.)* No sé...

María Luisa—Necesitaría morir para no amar a Carlos que me amó, a Víctor que me ama... *(Ramón se encoge, baja la cabeza.)* a ti, que me amarás.

Ramón—*(Tímidamente.)* Entonces, cuando yo te ame, así, como ahora Víctor, en presente, ¿amarás también a otro, al que te amará?

María Luisa—Sí. Tal vez. ¿Por qué no?

Ramón—Pero eso será horrible.

María Luisa—*(Acercándosele. Poniendo su mano en el hombro de Ramón.)* No pienses, no sufras. No olvides que aún no me amas.

Ramón—*(Recobrando el valor.)* Es verdad. Ahora es Víctor el que debe sufrir porque tú me amas ya. Porque tú me amas, ¿no es cierto? *(Se toman las manos.)*

María Luisa—Sí, te amo porque me amarás.

Ramón—Porque te amaré.

(Durante la última frase del diálogo, Víctor y Carlos, en traje de calle, han entrado sin ser vistos. Carlos se adelanta hacia María Luisa y Ramón. Víctor avergonzado, disminuido, se oculta a medias.)

ESCENA VII

RAMÓN, MARÍA LUISA, CARLOS, VÍCTOR

CARLOS—*(Con su voz más fírme.)* ¡María Luisa!
MARÍA LUISA—*(Sin inmutarse.)* Ah, eres tú, Carlos. ¿Por qué has tardado tanto? *(Al ver a Víctor.)* ¿Tú aquí, Víctor? ¿Por qué te ocultas?... *(Pausa breve.)* ¡No me dicen nada!
CARLOS—*(Fríamente.)* Nada.
VÍCTOR—*(Colérico y vencido.)* No hace falta decir nada.
MARÍA LUISA—*(Serena, plácida.)* Yo les diré una cosa. *(A Ramón.)* Si tú me lo permites. *(A Víctor y Carlos.)* Me siento dichosa. Ramón...
VÍCTOR—*(Rápidamente.)* Ya lo sabemos.
MARÍA LUISA—No sabes nada, Víctor. Nunca sabes nada; dudas, imaginas, investigas, pero nunca sabes la verdad.
CARLOS—Has dicho que te sientes dichosa.
MARÍA LUISA—Porque Ramón...
CARLOS—Te quiere.
MARÍA LUISA—No, no me quiere. *(A Ramón.)* ¿Verdad que no me quieres?
RAMÓN—*(En el colmo del amor.)* No, no te quiero.
MARÍA LUISA—¿Ya lo oyen? No me quiere; me querrá.
VÍCTOR—Pero eso no es posible, María Luisa.
MARÍA LUISA—Sí es posible. Tú bien sabes que es posible. Cuando Carlos me amaba, como tú ahora, no sabías que ya me amabas, pero yo te amaba desde entonces, porque sabía que un día me amarías.
CARLOS—*(Colérico.)* Y ahora le ha tocado a Ramón su turno.
MARÍA LUISA—No me entiendes. No quieren entenderme. No es su turno, no. No es que uno esté detrás o después del otro en mi amor. Según eso, tú no existirías ya para mí, puesto que ya no me amas. No obstante, yo te amo, no porque hayas dejado de amarme, sino porque un día me amaste.
VÍCTOR—Está bien, ¿pero a mí?
MARÍA LUISA—A ti te amo, eso es todo.
VÍCTOR—Luego Ramón sale sobrando.
MARÍA LUISA—*(Sin oírlo.)* Pero Ramón, que no me ama todavía, me amará, estoy segura, y sólo por el hecho de saberlo, ya lo amo.
CARLOS—*(Despechado.)* No cabe duda; eres precavida. Si uno te deja de amar...
MARÍA LUISA—No me entiendes aún. ¿Qué quiere decir que me dejen de amar cuando yo sigo amando?

VÍCTOR—¿Quieres decir que nos amas a los tres a un tiempo?
MARÍA LUISA—No como tú lo entiendes. A un tiempo, no; en el tiempo.
VÍCTOR—Pero si Carlos ya está en el pasado.
MARÍA LUISA—Es verdad. Y tú en el presente y Ramón en el futuro. Pero ¿qué son, en este caso, pasado, presente y porvenir, sino palabras? Si yo no he muerto, el pasado está como el presente, y del mismo modo que el futuro, en mí, dentro de mí, en mis recuerdos, en mi satisfacción, en mis deseos, que no pueden morir mientras yo tenga vida. *(Pausa breve.)* ¿Verdad que ahora me comprenden?
CARLOS—*(Como a pesar suyo.)* Sí, te comprendo. *(Toma asiento.)*
VÍCTOR—¡Tal vez! *(Toma asiento.)*
RAMÓN—No, no te comprendo; pero no importa: un día comprenderé. *(Toma asiento.)*
MARÍA LUISA—Todos han comprendido. Tú, Carlos, que ya no me amas, confiesas. Tú, Víctor, que me amas, dudas todavía. Y Ramón, que aún no me ama, espero que un día comprenderá. *(Se oye el timbre de la puerta. Con excepción de María Luisa, los demás parecen no haber oído.)* Han llamado. *(A Carlos.)* ¿Esperas a alguien?
CARLOS—A nadie. ¡Es extraño!

(Sale a abrir. Se oye casi en seguida la voz del desconocido.)

ESCENA VIII

MARÍA LUISA, RAMÓN, VÍCTOR, CARLOS Y EL SEÑOR DESCONOCIDO

LA VOZ DEL DESCONOCIDO—¿La señorita? ¿Tiene usted la bondad de avisar a la señorita?... A la señorita que entró hace un rato.
MARÍA LUISA—*(De pie, dándose súbitamente cuenta de su olvido.)* ¡Es verdad! ¡Lo había olvidado!
LA VOZ DE CARLOS—Pase, pase usted.

(Entra con Carlos un señor joven, increíblemente aliñado, increíblemente tímido y, en consecuencia, increíblemente ridículo. Lleva en la mano tres paquetes grandes.)

CARLOS—*(A María Luisa.)* El señor pregunta por ti.
MARÍA LUISA—*(Al desconocido.)* ¡Perdóneme, perdóneme! ¡En qué estaba pensando!
EL DESCONOCIDO—Yo hubiera querido... esperar más tiempo. Pero temía... temía que usted... que usted...

MARÍA LUISA—Lo hubiera olvidado. Así fue. Dispénseme. *(Se apresura a recoger los paquetes, que Carlos, Víctor y Ramón le quitan a su vez y que ya no abandonarán.)* No volverá a suceder. Y muchas gracias. Pero debe estar rendido. Tome asiento, acérquese usted. EL DESCONOCIDO—*(Azorado, cohibido, nerviosísimo.)* No, muchas gracias. Debo irme. A sus órdenes, señorita. *(A todos.)* Buenas noches. *(Sale aturdido.)*

ESCENA IX

MARÍA LUISA, RAMÓN, VÍCTOR, CARLOS

MARÍA LUISA—*(Respirando plenamente.)* Lo había olvidado, ¡pobrecillo! *(Pausa.)*
CARLOS—*(Tomando asiento.)* ¿Quién es?
MARÍA LUISA—No sé quién es.
VÍCTOR—*(Tomando asiento.)* Pero ¿no sabes quién es?
RAMÓN—*(Tomando asiento.)* No sabe quién es.
MARÍA LUISA—*(En el centro del grupo.)* Lo encontré al salir de la tienda. Se me acercó, y con toda la timidez del mundo me rogó que le permitiera llevar los paquetes. Me miraba de un modo tan sumiso, que me pareció cruel no concederle lo que pedía. Eché a andar y, naturalmente, me siguió, sin hacer ruido, sin atreverse a hablar. Entré en esta casa, y debo de haber subido muy de prisa, o a él se le cayó un paquete, no sé; el caso es que, al entrar aquí, lo olvidé por completo... *(Pausa.)* Pero ¿por qué callan? ¿Hay algo de malo en todo esto?
CARLOS—Nada, yo creo que nada. *(Pausa breve.)*
VÍCTOR—Es posible que nada. *(Pausa breve.)*
RAMÓN—*(Temeroso, haciendo un gran esfuerzo, se atreve.)* Pero ¿no pensó usted, María Luisa, al verlo tan dócil, tan inofensivo, que bien podía ser el hombre destinado a quererla?
MARÍA LUISA—No, no lo pensé entonces; o si lo pensé, no lo recuerdo; o, más bien, oculté mi pensamiento en seguida.
RAMÓN—*(Con tristeza.)* ¡Lo ve usted!
MARÍA LUISA—Pero en caso de que así hubiera sido, ¿no ha visto usted que él no supo esperar?
RAMÓN—*(Con alegría, satisfecho.)* Es verdad. No supo esperar.

(Pausa. Una misteriosa luz cenital invade el estudio. Todos permanecen inmóviles, abstraídos. Ellos, con un paquete cada uno, en la mano. Ella, sonriente, dichosa, ausente. De pronto, Víctor se le queda mirando y le pregunta con firmeza.)

VÍCTOR—María Luisa, ¿en qué piensas?

(Todos esperan, anhelantes, la respuesta.)

MARÍA LUISA—*(Despertando, en voz baja, casi imperceptible.)* En nada.

VÍCTOR—¿En nada? No es posible. *(Baja la cabeza.)*

CARLOS—No es posible. *(Baja la cabeza.)*

RAMÓN—No, no. *(Baja la cabeza.)*

MARÍA LUISA—*(Sin salir del centro del grupo, acaricia los cabellos de cada uno.)* Aquí, a tu lado, Víctor; al lado de Carlos, junto a ti, Ramón, me siento dichosa; ¿quieren saber en qué pienso? *(Todos la miran ansiosos, esperanzados.)* En nada. Soy feliz. No pienso en nada.

(Bajan todos la cabeza, acarician involuntariamente el paquete. María Luisa sonríe feliz, como una diosa feliz, mientras cae el

T E L Ó N

GRISELDA GAMBARO
(ARGENTINA, 1928)

De las muchas dramaturgas actuales de Hispanoamérica, la más destacada a todas luces es Griselda Gambaro, cuentista, novelista y autora de una obra cuantiosa y de poder singular. Por las estructuras no realistas y la visión de una realidad cruel e implacable las primeras obras pronto despertaron un vigoroso debate crítico. Sus obras tratan la perversión del poder y la represión del individuo por la sociedad. Los personajes se pierden en un mundo que carece de leyes para protegerles; se hallan desprovistos de toda dignidad y poder de autodeterminación. Muchas veces ni parecen darse cuenta de lo que les pasa, y los ambiguos códigos verbales y teatrales suelen presentar contrastantes acciones y parlamentos. A veces torturador y torturado cambian de papel.

En los años sesenta escribió cuatro obras que siguen siendo de las más importantes escritas en el siglo. *Las paredes* (1963) presenta a un joven detenido por causas desconocidas en un cuarto que progresivamente se empequeñece. Termina tan brutalizado que cuando por fin la puerta se abre resulta incapaz de ejercer la voluntad para salir. *El desatino* (1965) presenta a Alfonso, condenado a muerte por la indiferencia y egoísmo de su familia y amigos. El misterioso objeto metálico que lo inmoviliza puede representar su dependencia de la familia que hace caso omiso de su situación y lo atormenta con reproches, o puede ser su ambivalente obsesión sexual; Gambaro sugiere sin insistir en interpretaciones concretas. En cualquier caso participa en su propia destrucción, rechazando la ayuda que le ofrece un extraño, y, como muchos personajes de estas obras, entra en una pasividad infantil. En *El campo* (1968) la vida es un enorme campo de concentración cuyo jefe es un oficial militar de nombre «Franco». Los inquilinos son reacios a aceptar su realidad y hasta se empeñan en atribuirse la culpa de su situación. Aun cuando a los dos personajes principales se les permite salir les siguen los anónimos inquisidores, robándoles la poca dignidad y voluntad que les queda. El drama, como la mayoría de la obra de Gambaro, tiene raíces en el irrealismo del teatro del absurdo, pero la orientación está más obviamente politizado. La caracterización individualizada y la terrible lógica de la crueldad le confieren al término nuevas dimensiones. Aun en obras breves y de aparente orientación cómica como *Decir sí*, el cambio de papeles, los códigos contrastantes y el abrupto final nos introducen a un mundo distinto y amenazador. Salta a la vista que todo esto tiene referente en el mundo «real», en el cual la autora misma tuvo que escaparse de la tiranía oficial.

Gambaro sigue produciendo con ritmo acelerado. En los setenta escribió quince obras, aunque por obvias razones varias quedaron bastante tiempo sin estrenar o están inéditas todavía. Dentro de la temática acostumbrada el teatro más reciente de Gambaro demuestra sorprendente variedad.

Hay una fuerte corriente feminista en obras como *El despojamiento* o *Información para extranjeros* en las que se introducen aspectos de la degradación moral y física de la mujer, aunque Gambaro no se considera feminista en sentido estricto porque *todos* sus personajes sufren. *Nosferatu* es visión macabra de vampiros victimizados por una sociedad que es el verdadero vampiro, y *Nada que ver* (1972) ha sido llamada paráfrasis de *Frankenstein* de Mary Shelley; los monstruos creados son menos monstruosos que sus creadores. *Real envido* (1983) parodia el cuento de hadas y *Antígona furiosa* viste el tema clásico de traje moderno de barrio argentino. En 1996 *Dar la vuelta*, escrita en los años setenta, fue estrenada en Puebla, México, en una presentación original a base de caricaturas de las tiras cómicas y del cine «pop». Pero debajo del ropaje diferente en cada caso hay una atmósfera de culpa y crueldad, de humor negro y falta de compasión.

Gambaro es también dramaturga muy innovadora. *Información para extranjeros*, escrita en 1973 pero no publicada hasta 1987, toma lugar en una serie de cuartos a los que entra un público previamente dividido en grupos pequeños. Todos ven las mismas escenas pero, con excepción de la primera y la última, en distinta secuencia. El resultado es una visión inmediata y horripilante que no puede dejar de sugerir al espectador los excesos de la llamada Guerra Sucia. *La malasangre* (1982) esconde el mensaje de la necesidad de reconocer la opresión manejada por el gobierno por medio de una narración histórica; de la misma manera *Del sol naciente* (1984) pasa en el Japón feudal, pero la destructiva lucha por el poder refleja la política argentina de la época. La comprensible tentación de ver en estas obras una especie de alegoría política es equivocada. Paradójicamente, la necesidad de disfrazar esta visión amenazante sin localizarla específicamente hace que toda referencia a la situación argentina se vuelva por extensión una visión mucho más amplia y universal. O sea que estas obras funcionan en diversos niveles; es imposible clasificarlas imponiendo una rúbrica conveniente porque a todas las sobrepasa. La necesidad de disfrazar la intención original ha conducido a un cuerpo de obras cuya naturaleza polisémica las enriquece sin oscurecer el importante referente social.

Los siameses (1970), como las otras mencionadas, es una obra compleja en diversos niveles; enfoca el juego entre violencia y pasividad. Los siameses Ignacio y Lorenzo son dos hombres unidos sólo psicológicamente, éste agresivo y perverso, aquél sumiso y bondadoso. Son los dos lados de todo ser humano. Ignacio es blanco de castigos y golpes inmerecidos por culpa de las acusaciones falsas de Lorenzo; pero cuando muere Ignacio como resultado de esos golpes, vemos que Lorenzo ya no tiene razón para vivir. Los dos formaban un ser total, y, muerto uno, el otro deja de existir. En el fondo, ésta es la visión que nos ofrece Griselda Gambaro: un mundo en el cual la crueldad hacia algunos nos hace víctimas a todos.

LEON LYDAY
The Pennsylvania State University

FRANK DAUSTER
Rutgers—The State University

GRISELDA GAMBARO

LOS SIAMESES

(Pieza en dos actos y siete cuadros)

Personajes

Lorenzo
Ignacio

Dos Policías:
    El sonriente
    El gangoso

Tres acompañantes para un entierro:
    El viejo
    Viejo 2º
    El muchacho

Acto Primero

Cuadro i

(Interior de una pieza amueblada con una pequeña mesa de pino, un banquito, tres sillas, un ropero destartalado y dos camas de una plaza con los colchones a la vista, sin sábanas, aunque con dos frazadas ordinarias a los pies. Sobre la mesa, una botella con agua y dos vasos. En un rincón, en el suelo, una pila altísima de diarios viejos. Una puerta que da a la calle. Alejada de esta puerta, pero también sobre la calle, una alta ventana cerrada, sin cortinas. Otra puerta, con una gastada cortina de lona, conduce a un patio interior. Al levantarse el telón, la escena aparece vacía unos instantes. Se escuchan luego los pasos de alguien que viene corriendo atropelladamente. Entra Lorenzo y en seguida cierra la puerta con llave, como si alguien lo persiguiera. Con inmenso alivio, se apoya contra la puerta y empieza a reír a carcajadas. Es evidente que acaba de escapar de un peligro y lo festeja, aunque la fatiga le corta la risa, la vuelve espasmódica. Poco a poco, cesa de reír. Una pausa.)

LORENZO—*(Respirando con agitación.)* ¡Me escapé! Puedo... correr mejor solo... que... acompañado. *(Se palmea con cariño.)* ¡Qué corrida! *(Inclinándose, tantea y palmea sus pantorrillas.)* ¡Músculos de corredor! Sí, son músculos de corredor, fuertes, resistentes. ¿Por qué no me habré dedicado al deporte? ¿Será tarde ahora? Mi nombre en los periódicos. El gran... gran... gran... *(Mientras habla, se va deslizando, pegado a la puerta hasta quedar sentado en el suelo. Está exhausto.)* Podría haber... seguido corriendo... hasta... hasta... *(Bruscamente recuerda algo que le causa gracia y rompe a reír.)* ¡Ignacio, el pobre Ignacio, con sus piernas de goma! *(El recuerdo le resulta de una comicidad irresistible; está cansado, pero no puede dejar de reír. Se interrumpe solamente cuando mueven el picaporte, golpean en la puerta y se escucha la voz entrecortada y angustiada de Ignacio.)*

VOZ DE IGNACIO—¡Ábreme, Lorenzo! ¿Por qué cerraste con llave? ¡Ábreme! *(Lorenzo escucha con cierto aire de atención cortés y no contesta.)* ¡Abre, que se acerca! ¡No seas loco! ¡Abre!

LORENZO—*(Con tranquilidad, sin moverse.)* Sí, sí. *(Bajo, casi pesaroso.)* Estás frito.

Voz de Ignacio—*(Cada vez con mayor urgencia.)* ¡Ábreme de una vez! ¿Por qué cerraste?, ¡maldito seas! *(Desesperado.)* ¡Se me viene encima! ¡Ábreme!

Lorenzo—*(Con acento tranquilizador, pero sin moverse.)* Te abro, sí, pero, ¿estás solo?

Voz de Ignacio—¡Ábreme!

Lorenzo—*(Con tranquilidad.)* ¿Estás solo?

Voz de Ignacio—¡Dobló la esquina! *(Casi llorando de desesperación.)* ¡Por favor, abre; por favor, abre! *(Golpea, agita el picaporte.)*

Lorenzo—*(Fastidiado.)* ¡No rompas la puerta! Te pregunto si estás solo. *(Alza la voz. Con buena voluntad.)* ¿Escuchas? ¿Te paso un papelito debajo de la puerta? *(Se levanta, toma un papel del cajón de la mesa y escribe algo, primero de pie, luego toma una silla y se sienta. Escribe lentamente, con dificultad y parsimonia. Ignacio sigue golpeando en la puerta.)*

Voz de Ignacio—¡Dobló la esquina! ¿Por qué no me abres? *(Desesperado.)* Te... te... te conseguiré una chica. ¡Me alcanza! ¡No seas cretino! Lorenzo, Lorenzo, ¡ábreme!

Lorenzo—*(Levanta la vista del papel, se incorpora y se apoya sobre la mesa. Pregunta, tranquilo.)* ¿Está cerca? ¿Escuchas? ¡Te pregunto si está cerca! A ver si abro y me salta encima. No quiero sorpresas. ¿Está cerca? ¿Escuchas? *(Atiende un momento, pero sólo se escuchan los «¡ábreme, ábreme!» desesperados de Ignacio y sus golpes en la puerta. Lorenzo, despectivo.)* No, no escuchas nada. Tu miedo no te permite escuchar nada. *(Se sienta nuevamente.)* Mejor que escriba también esto. *(Deletrea mientras escribe lentamente.)* Querido Ignacio: te pregunto si está cerca... *(Levanta la cabeza y piensa, mientras se rasca dubitativamente el mentón. De pronto, se escucha un alarido de Ignacio y las sacudidas de un cuerpo violentamente arrojado y golpeado contra la puerta. Lorenzo, ensimismado.)* ¿Escribo lo del miedo o no? No, va a ofenderse... ¡Cuántas delicadezas! *(Alza la cabeza y escucha. Tranquilamente pesaroso.)* Van a romper la puerta. *(Se levanta y pasa el papelito debajo de la puerta.)* Espera, te pasaré el lápiz. *(Pasa el lápiz.)* ¡Contéstame por escrito! *(Se escuchan los alaridos de Ignacio. Lorenzo, dubitativamente.)* ¿Estará solo? *(Baja la voz.)* ¿No puedes decirme si estás solo? ¡Contéstame por escrito! Le debía haber /escrito: Querido Ignacio, contéstame por escrito. ¡Pero le pasé el lápiz! ¡Podía haberse dado cuenta! ¡Es tan torpe! *(Escucha con el mismo aire de atención cortés los golpes y sacudidas del cuerpo contra la puerta. Van disminuyendo. Los alaridos de Ignacio se han transformado en pequeños gemidos que también cesan finalmente. Lorenzo pega el oído contra la puerta. Silencio.)*

Golpea con los nudillos. Llama suavemente.) ¿Ignacio? (Una pausa.) ¡Ignacio! *(Se escucha una especie de ronquido como respuesta.)* ¿No puedes hablar? ¿Hay gente? *(Silencio.)* ¿Recibiste mi esquela? ¿No puedes escribir? *(Se aparta de la puerta, fastidiado.)* ¡Se calla, se calla! ¿Cómo vamos a entendernos? *(Se acerca otra vez a la puerta, bajo.)* ¿Estás solo? ¿Se fue? *(Por contestación se escucha otra especie de ronquido afirmativo. Lorenzo, casi tristemente.)* ¿Por qué no fuiste a otro lado? Las puertas cerradas son puertas cerradas. *(Una risita.)* Las puertas abiertas están abiertas, desde el principio. Se ve en los chicos. Yo, de chico, daba todos los juguetes, quería hacerme simpático. *(Descubriéndolo, feliz.)* No se ve en los chicos, no tengo nada que ver con el chico que fui: no doy nada, cierro las puertas. *(Ríe.)* Fui un niño parricida. ¿Y tú, Ignacio? Nacimos juntos y no me acuerdo de cómo eras antes. *(Un silencio.)* ¿No puedes contestarme algo, una línea? Me aburre hablar solo. *(Pega el oído a la puerta, se agacha y espía por el ojo de la cerradura.)* ¿Qué es lo que hay ahí? ¿Tu cabeza? Veo todo negro, ¿qué es? Apártate un poco, ¿quieres? *(Se aparta, duda.)* ¿Se lo escribo? No, es inútil. Es casi analfabeto. *(Mira nuevamente y ríe.)* ¡Te fuiste al suelo! *(Ve algo que lo impresiona y deja de reír. Se vuelve, recostándose contra la puerta, y cierra los ojos. Con apesadumbrado asombro.)* ¡Oh! ¡Cómo te dejó! ¡Qué lástima! Ignacio, Ignacio, ¿me escuchas? ¿Te desmayaste? *(Se agarra el costado derecho con ambas manos como si lo atacara súbitamente un dolor intenso.)* ¡Ay! *(Cae de rodillas y se arrastra hasta el cajón de la mesa, saca unas pastillas y toma algunas con un vaso de agua. De rodillas, vuelve a la puerta, lastimero.)* Ignacio, levántate, te necesito. *(Permanece recostado contra la puerta, sujetándose el costado con ambas manos y meciéndose con imperceptibles gemidos de dolor.)*

VOZ DE IGNACIO—*(Lejana y débil.)* Lorenzo…

LORENZO—*(Alerta.)* ¿Sí?

VOZ DE IGNACIO—*(Id.)* Ábreme la puerta.

LORENZO—*(Duda, se muerde los labios.)* ¿Se fue?

VOZ DE IGNACIO—Sí. Se fue.

LORENZO—*(Desconfiado.)* ¿Estás seguro? ¿Si vuelve?

VOZ DE IGNACIO—*(Desfallecida.)* No. *(Una pausa.)* No. No va a volver.

LORENZO—¿Cómo lo sabes? Nos pegará a los dos. Si me ve, recordará que yo estaba contigo y empezará a repartir golpes otra vez. Y no me pegará a mí solo. Volverás a cobrar. Un golpe a mí, otro a ti, repartirá golpes sin fijarse. Recibirás otra ración, ¿para qué? No la aguantarás. No insistas, Ignacio querido. Ten paciencia, ¿eh? Duerme,

¿por qué no duermes un poco? Los golpes se te curarán durante el sueño. Descansa.

Voz de Ignacio—Dame agua.

Lorenzo—*(Voluntarioso.)* Sí, sí, agua te doy. ¡Cómo no! Toda la que quieras. *(Se levanta ágilmente, sin manifestar ahora ningún dolor, y llena un vaso con agua. Se encamina con decisión hacia la puerta, la ve cerrada y, sin inmutarse, se inclina y hace deslizar el agua por debajo. Cariñoso.)* ¿Puedes? ¿La tomas? *(Mira por el ojo de la cerradura.)* Despacio... Despacito... No te atores. *(Con acento de sincera compasión.)* ¿Podrás abrir ese ojo alguna vez? *(Sorprendido.)* ¿Qué escupes? *(Ríe, divertido.)* ¡Un diente! ¡Justo el del medio! Tu belleza... *(Ríe.)* ¿Dónde ha ido a parar? ¡Ahora puedes trabajar en un circo! *(Se interrumpe, serio.)* Lo siento. No quería herirte.

Voz de Ignacio—*(Exánime.)* Lorenzo... Lo... ren... zo.

Lorenzo—*(Con pesar.)* No me llames. ¿Qué te pasa? No puedo abrir. Si vuelve, nos pegará a los dos. Es un tipo fuerte, muy bruto, no hará distingos. No dirá a éste le pegué y ahora lo dejo tranquilo, pobre tipo. Me dedico a éste *(señalándose)*, a mí. No dirá eso. Te pegará otra vez, pobre Ignacio. En cambio, si vuelve y te ve en el suelo, todo sangrante, no te pegará. Tiene aspecto de animal, pero nadie le pega a un caído. Hay respeto por los que matamos. No eres un cadáver, lo sé. Pero si lo fueras, estarías más seguro.

Voz de Ignacio—Lorenzo...

Lorenzo—*(Irritado súbitamente.)* ¡Lorenzo, Lorenzo! ¡No abro! ¡Déjame en paz!

Voz de Ignacio—Me duele todo... el... cuerpo.

Lorenzo—*(Compasivo.)* ¿Quieres más agua? ¿Sabes lo que haré? Me acostaré aquí, en el suelo. ¿Estás conforme? No quiero que te sientas solo, Ignacio. ¿Te sirve de algo, te consuela? Voy a dormir aquí, pegado a la puerta. *(Se tiende largo a largo junto a la puerta. Bosteza.)* ¡Qué sueño, Ignacio! Y estoy cansado, después de la corrida... ¿Tú no? *(Una pausa.)* ¿Me escuchas? ¡Podrías contestar! *(Se levanta y espía por el ojo de la cerradura. Despechado.)* Se durmió. Es un caballo para dormir. *(Se acuesta y pone los brazos cruzados debajo de la cabeza.)* ¡Qué incómodo! *(Se incorpora sobre un codo y mira con ansiedad las camas. Se levanta y recoge una almohada.)* Dormiré en el suelo, lo prometí. Pero la cabeza no tiene nada que ver con mis promesas. Además, lo más delicado está en la cabeza. No es cuestión de arriesgar el material. *(Pone la almohada en el suelo y se acuesta.)* Sí, estoy más cómodo. *(Cruza las piernas y agita una en el aire. Se pregunta, volublemente.)* ¿Fue mi culpa, fue su culpa, quién tiró la piedra? *(Canturrea.)* ¿Quién

le pone el cascabel al gato? *(Sincero.)* Sospecho que... la piedra la tiré
yo. ¿Pero quién es capaz de distinguir algo entre los dos? Yo no puedo.
Somos iguales. Esa es nuestra desgracia. Somos tan iguales que nuestras
acciones se confunden. *(Divertido.)* En una palabra: no se distingue la
mano que arrojó la piedra. ¡Pobre Ignacio! ¡Qué paliza! *(Se levanta y
mira por el ojo de la cerradura. Despechado.)* ¡Cómo duerme¡ Ronca.
Está todo sucio de sangre. ¿Cómo puede dormir así? ¡Qué sucio! ¿No
estará muerto, no? *(Espía un momento en silencio. Chista para desper-
tarlo. Llama.)* ¡Ignacio, Ignacio! *(Una pausa.)* No. Respira. No se
hubiera perdido mucho. Pero aún no estoy curado, lo necesito. Como
enfermero deja bastante que desear. ¡Es tan negligente con mis
pastillas! *(Lanza otra ojeada por la cerradura.)* ¡Pobrecito! Le cambió la
cara. Ahora no van a confundirnos. Yo tengo la culpa. Estoy arrepentido. *(Se acuesta.)* ¡Qué incómodo es esto! No estoy acostumbrado a
dormir en el suelo. Me duelen los huesos. Él ronca. Y yo no puedo
dormir. Es injusto. *(Una pausa.)* Cómo me duelen los huesos, el
arrepentimiento no me importa nada. Y sin embargo, tengo que estar
arrepentido. *(Mira la cama. Se levanta y tira hacia afuera el colchón. Lo
arrastra hasta la puerta. Va a acostarse, mira el colchón de la otra cama,
lo saca también y lo coloca encima del otro con evidente satisfacción. Se
acuesta.)* Ahora sí. *(Salta.)* ¡Qué cómodo! Puedo pensar. De nuevo,
estoy arrepentido. Debo hacer algo para compensar lo de la paliza.
¿Bastará dormir en el suelo? Sí, sí, basta y sobra. *(Se coge las rodillas con
las manos y agita las piernas en el aire, como si corriera. Divertido.)* ¡Corriendo con sus piernas de goma! *(Bosteza. Agarra una de las frazadas
por la punta y la arrastra hacia él. Se cubre. Canturrea.)* ¡Pa-pa-pa-pa!
(Sin convicción.) ¡Pobre Ignacio!... *(Somnoliento.)* Si tuviera a mi chica
en el colchón...
      VOZ DE IGNACIO—*(Lejana y débil.)* Lorenzo... Lo... renzo...
(Araña la puerta.)

      *(Lorenzo se da vuelta y se acurruca más bajo la manta. Ríe entre
sueños. Se escucha sólo el arañar de la puerta, cada vez más débil y
lejano.)*

                          CUADRO II

*(La misma habitación, a la mañana siguiente. Los colchones han
desaparecido. Lorenzo aparece con el oído pegado contra la puerta. Está
recién peinado y se ha puesto un saco. Escucha. Un silencio.)*

LORENZO—¡Ignacio! Ignacio, ¿cómo te encuentras? ¿Cómo? ¡No te escucho! Habla más alto. Ignacio, quiero salir. *(Un silencio.)* Deja libre la puerta, por favor.

VOZ DE IGNACIO—Ábreme.

LORENZO—¿Otra vez? ¿Por qué no te vas? Tengo que salir.

VOZ DE IGNACIO—Ábreme.

LORENZO—*(Fastidiado.)* ¡Te dije que no! Márchate. Yo no te conozco.

VOZ DE IGNACIO—Está bien: no me conoces. Yo tampoco. ¡Pero ábreme!

LORENZO—¿Cómo puedo abrirte si no te conozco? *(Ríe.)* Mucho riesgo, querido. ¿Vendes algo? *(Se escucha un murmullo ininteligible de Ignacio. Lorenzo entiende la respuesta porque replica ofendido.)* ¿Qué? ¡No necesito! ¡Déjame salir!

VOZ DE IGNACIO—¡Abre!

LORENZO—*(Cambiando de tono.)* ¿Te hizo bien la lluvia anoche? Te habrá refrescado la cara. *(Espía por el ojo de la cerradura.)* No veo nada. *(Ríe.)* Ahora sí. Tienes la camisa abierta y veo tu ombligo. Te hicieron mal el nudo. *(Ignacio pega unos violentísimos golpes y Lorenzo retrocede.)* ¡Eh! ¡Calma! Yo debiera ser el impaciente. Hace tres horas que quiero salir. ¡Tres horas! ¿Por qué no te vas? Camina hasta la esquina y toma un colectivo. Así no nos veremos. Hay que descansar de la gente. Por unos días, duerme en la calle. No te pasará nada. Te harás más hombre. *(Una risita.)* ¡Te hace falta! *(Espía otra vez.)* ¿Ignacio? *(Silencio.)* ¡Ignacio! *(Con suma cautela, entreabre la puerta. Pero Ignacio, que ha estado aguardando oculto, traba la puerta con el pie y la empuja tan violentamente que Lorenzo va a parar al suelo. Lorenzo, ofendido.)* ¡Qué delicado! *(Entra Ignacio. No se parece en nada a Lorenzo. Le falta el diente del medio y tiene la cara amoratada. Se seca la boca con un pañuelo manchado con sangre seca y lo deja sobre la mesa. Lorenzo se incorpora rápidamente. Con asco.)* ¡No seas sucio! *(Toma el pañuelo y lo arroja al suelo; con el mismo gesto de asco, lo corre con el pie hasta un rincón. Ignacio se desploma sobre una silla, mira hacia las camas con intención de acostarse.)*

IGNACIO—¿Dónde están los colchones?

LORENZO—Afuera, en el patio.

IGNACIO—*(Muy cansado.)* Tráelos.

LORENZO—No. Los llevé ahora.

IGNACIO—Quiero acostarme.

LORENZO—Duerme de noche. Necesitan ventilarse. Si no, son criaderos de chinches. No quiero mugre en la pieza.

IGNACIO—¿Por qué no abriste la puerta?

LORENZO—*(Para ganar tiempo.)* ¿Por qué no te abrí la puerta? *(Breve silencio.)* Te lo expliqué por escrito. No me contestaste. *(Se dirige hacia la puerta, la abre, se lo ve buscar algo en el suelo y vuelve con un trozo de papel roto y arrugado.)* Lo manchaste todo con el agua. No se lee una palabra. ¿Para qué me gasto?

IGNACIO—*(Exhausto.)* Trae los colchones.

LORENZO—*(Negando con la cabeza.)* Se ventilan. *(Ignacio se pone de pie.)* Tampoco vayas a buscarlos. Los até con un alambre. No quiero chinches.

(Ignacio se dirige a una de las camas y se acuesta sobre el elástico. Lorenzo lo mira, se saca el saco, lo cuelga de la silla y se acuesta al lado de Ignacio.)

IGNACIO—*(Con fastidio.)* ¿Qué haces? ¿No tienes tu cama?

LORENZO—Me gusta sentirme acompañado. Es horrible dormir en el suelo, solo como un perro. Dormir no, padecer insomnio.

IGNACIO—Me hubieras abierto la puerta, cretino. ¡Vete a tu cama! *(Lorenzo no contesta, simula dormir. Ignacio, suavemente.)* Lorenzo, ¿estás dormido? *(Con cuidado, empieza a empujarlo hacia el borde de la cama para arrojarlo al suelo. Pero Lorenzo no está dormido. Cuando está a punto de caer, sujeta la mano de Ignacio y con un envión lo arroja al suelo.)*

LORENZO—¿Querías tirarme?

IGNACIO—No.

LORENZO—¿Qué dices? ¿Tienes una papa en la boca? No se entiende nada. *(Se sienta en la cama.)* Pasé mala noche. Dormí en el suelo. Lo sabías, ¿no?

IGNACIO—Sí.

LORENZO—No estoy acostumbrado. Te oí roncar.

IGNACIO—*(Casi disculpándose)* Tengo el sueño fácil.

LORENZO—Yo no. Ayúdame a hacer ejercicio.

IGNACIO—¿Ahora? No tengo ganas, Lorenzo.

LORENZO—Yo sí. Te pegaron, pero roncaste. Sonríe. *(Ignacio lo mira, serio. Lorenzo, con un sincero, conmovedor deseo de verlo sonreír.)* Sonríe. *(Ignacio sonríe. Su sonrisa es bondadosa e ingenua, un poco ridícula por la ausencia del diente. Lorenzo no puede dejar de aprovechar su ventaja.)* Sonreíste: estás de acuerdo. Vamos.

(Los dos empiezan a caminar por la pieza. Se pegan costado contra costado y ejecutan el mismo paso, la pierna derecha de Lorenzo pegada a la pierna izquierda de Ignacio.)

IGNACIO—Lorenzo...

LORENZO—¿Qué?

IGNACIO—Quisiera... quisiera... cortar el nudo.

LORENZO—¿Qué nudo?

IGNACIO—¿Por qué no te vas?

LORENZO—*(Lo mira sin dejar de caminar y ríe.)* ¡Esta sí que es buena! ¿A qué se debe?

IGNACIO—Búscate otro amigo. Un desgraciado.

LORENZO—*(Solícito.)* ¿Eres desgraciado?

IGNACIO—Te aprovechas.

LORENZO—¿Yo? ¿De quién? Ignacio, Ignacio, no seas injusto. Me mortificas. ¿Adónde voy a irme? No adónde sino, ¿cómo?

IGNACIO—*(Sin entender.)* ¿Cómo? Puedes irte a un hotel.

LORENZO—*(Riendo.)* ¡No soy millonario!

IGNACIO—A una pensión. Puedes vivir... en una pensión, ¿no?

LORENZO—Sí, sí, puedo, ¿pero no entiendes? ¿Cómo? ¿Qué hago contigo? ¿Vienes conmigo?

IGNACIO—No. Me quedo aquí. En mi casa. La de mis padres.

LORENZO—Tus padres fueron mis padres. ¿Y cómo vas a vivir aquí, solo? No podemos separarnos. ¿Ves? Caminamos, caminamos, y estamos pegados.

IGNACIO—Yo pienso que sí. Podemos separarnos. *(Se para.)*

LORENZO—*(Agresivo.)* ¡Sigue dando vueltas! Necesito cien vueltas diarias para empezar bien mi día. Si no, tiempo perdido.

IGNACIO—*(Vacila.)* No doy más. *(Va a caer.)*

LORENZO—*(Le pega un golpe en las costillas. Duramente.)* ¡Arriba! ¡Derecho! *(Caminan en silencio unos minutos. Luego Lorenzo rompe a reír.)* ¡Cómo corrías ayer! ¡Qué piernas! Muéstramelas.

IGNACIO—¿Para qué?

LORENZO—Bájate el pantalón. *(Ignacio se baja el pantalón. Lorenzo le mira las piernas y estalla de risa.)* ¿No dije? *(Lo pellizca e Ignacio lanza un grito de dolor.)* Goma, espuma de goma. ¿Cómo vas a correr con estas piernas? *(Mortificado, Ignacio se sube los pantalones. Lorenzo se sienta y ordena, como un señor.)* Alcánzame el diario.

IGNACIO—¡Qué cómodo eres!

LORENZO—Fui educado así. Te lo expliqué mil veces. No es por gusto que soy cómodo.

IGNACIO—*(Se dirige al montón de diarios viejos y recoge uno al azar.)* Toma. *(Le da el diario y se acuesta en la cama.)*

LORENZO—*(Se dispone a leer, acomodándose en la silla. Lanza una consternada exclamación.)* ¡Diablos! ¡Mataron a Kennedy! *(Ignacio no escucha. Lorenzo se levanta y lo sacude frenéticamente, demudado.)* ¿Escuchaste? ¡Mataron a Kennedy!

IGNACIO—*(Tranquilo.)* Hace tiempo.

LORENZO—¡Ayer! ¡Aquí dice ayer!

IGNACIO—Es un diario viejo.

LORENZO—¡Maldito seas! Aquí dice ayer. ¿Por qué me diste este diario? ¡Lo hiciste a propósito! *(Se sienta y apoya el rostro contra la mesa.)*

IGNACIO—*(Lo mira, se levanta lentamente. Se inclina sobre Lorenzo e intenta consolarlo.)* ¿Qué te importa? Sucedió hace mucho.

LORENZO—*(Levanta la cabeza, demudado.)* Pero... pero, hermanito, si eso pueden hacerle a Kennedy, ¿qué no nos harán a nosotros? Él tenía escolta. ¡Yo no tengo nada, yo no tengo nada! Esto creció mucho y yo sigo igual, solo, sin amparo. Mira la piel, Ignacio. No es nada, me rasguñas y sale sangre.

IGNACIO—No tengas miedo. *(Casi a su pesar.)* Estoy... estoy yo.

LORENZO—*(Con la vista baja.)* Dame mis pastillas. *(Ignacio se dirige hacia el cajón de la mesa, toma las pastillas y le sirve a Lorenzo como se sirven las pastillas comunes. Lorenzo, furioso.)* ¡Así no! Se toman con agua.

IGNACIO—¡Si son pastillas de menta!

LORENZO—¡No te importa! Me hacen bien, por eso las tomo. *(Ignacio le saca suavemente el diario que tiene sobre las rodillas sin que Lorenzo parezca advertirlo y lo sustituye por otro. Trae el agua y Lorenzo toma sus pastillas.)* Quédate aquí.

IGNACIO—Voy a buscar una silla.

LORENZO—*(Sujetándolo por la ropa.)* ¡No! Quédate aquí. *(Ignacio se coloca en cuclillas junto a la silla de Lorenzo. Lorenzo toma nuevamente el diario y lo despliega. Lee y sonríe.)* ¡Ignacio! Aquí no dice nada de Kennedy. Ni lo menciona.

IGNACIO—Bueno.

LORENZO—¿Pasó hace mucho?

IGNACIO—*(Que se adormila.)* ¿Qué?

LORENZO—Lo de Kennedy.

IGNACIO—Sí, eras muy chiquito. *(Una pausa.)* De meses.

LORENZO—¿Estábamos pegados entonces? *(Antes de que Ignacio pueda contestar.)* Claro. Estábamos más cerca de nuestro nacimiento.

Y esto, el estar pegados, es de nuestro nacimiento. *(Ignacio, que poco a poco se ha ido cayendo y está a punto de sentarse en el suelo, bufa con fastidio. Lorenzo advierte las dos cosas y le pega un puntapié en las canillas.)* Te vas para abajo y me tiras. ¿Crees que soy de fierro? *(Ignacio se alza rápidamente. Lorenzo, pensativo.)* La operación fue un fracaso.

IGNACIO—*(Para que se calle.)* Sí, sí. *(Bruscamente.)* Yo nunca pisé un hospital.

LORENZO—*(Agresivo.)* ¡Yo sí!

IGNACIO—*(Hipócrita.)* Muy bien. Las operaciones de ese tipo son siempre un fracaso.

LORENZO—*(Feliz.)* ¡Si lo sabrás! *(Una pausa.)* Pero estamos sueltos, separados. Lo que ocurre, en operaciones de esa clase, es que no pueden salvar a los dos, uno queda arruinado. Para dejar a un tipo en perfectas condiciones, al otro tienen que arruinarlo. Forzosamente. ¿Qué teníamos nosotros en común? ¿Qué te falta? *(Intenta tocarlo.)*

IGNACIO— *(Apartándole las manos.)* ¡Nada!

LORENZO—Algo debe faltarte. Yo estoy entero. Uno de los dos, morirá joven. ¡Y yo sé quién es! *(Mira significativamente a Ignacio y ríe con satisfacción. Golpean en la puerta. Lorenzo cesa de reír, con sospecha.)* ¿Esperas a alguien?

IGNACIO—No.

LORENZO—*(Id.)* ¿No invitaste a ninguna chica? No es la primera vez que lo haces.

IGNACIO—*(Asombrado.)* ¿Yo?

LORENZO—Sí.

IGNACIO—¿Cuándo? Siempre trato de que no te des cuenta, que estés lejos.

LORENZO—*(Se ríe.)* ¿Crees que soy tonto? Me escondo detrás de la cortina. Muchas veces lo hice. Veo todo. Escucho. Es peor escuchar que ver. Algo repugnante.

IGNACIO—*(Furioso.)* ¡Me alegro! Te lo mereces. *(Se levanta y camina, agitado.)* Estabas aquí, veías todo. ¡Degenerado!

LORENZO—*(Casi humildemente.)* No, degenerado no soy. Tenía necesidad de saber. No es posible que yo falle siempre.

IGNACIO—¿Por qué te escondiste? Ver a los otros no cura.

LORENZO—*(Pacíficamente.)* ¡Quién sabe! No me oculté por capricho: podías haberte inhibido. Además, no aprendí nada.

IGNACIO—¡Me gusta! ¡Asqueroso!

LORENZO—¿Por qué? ¿Hablas por resentimiento? *(Pensativo.)* Sí, sí, todo lo que haces es bien rudimentario. En cambio, si hubieras sabido que te espiaba, te hubieras esmerado más, ¿no? Hubieras gozado el doble. *(Ríe.)* Te avisaré. ¡Ah, ah! ¡No sabía que tenías esas predilecciones!

IGNACIO—¡No tengo nada!

(Nuevamente golpean en la puerta, pero como si alguien se entretuviera en tamborilear una canción.)

LORENZO—*(Calmado.)* ¿Tienen paciencia, eh?

UNA VOZ AGRIA—¿Quieren abrir?

LORENZO—*(Hacia la puerta.)* ¿Quién es? *(Se escuchan unos fuertes sonidos gangosos.)* Un perro. *(Golpean fuertemente ahora.)* No. No es un perro. *(Bruscamente.)* ¿Vendrán a buscarte por la pedrada?

IGNACIO—*(Sorprendido.)* ¿A mí?

LORENZO—¡Dame una moneda!

IGNACIO—¿Para qué?

LORENZO—¡Dame una moneda, te digo! ¡Rápido! Tengo una idea. *(Ignacio busca en sus bolsillos y le da una moneda. Lorenzo la guarda en la mano mientras saca del interior del cajón de la mesa una almohadilla para sellos, unos sellos, un formulario de telegramas. Arranca un formulario y escribe algo rápidamente, ocultándolo de la vista de Ignacio. Busca entre los sellos, elige uno, sella el formulario y lo dobla. Sus gestos son rápidos y precisos.)*

IGNACIO—¿De dónde sacaste ese sello de correos? ¿Lo robaste?

LORENZO—*(Agresivo.)* ¿Qué te importa? Mejor prevenir que curar. *(Guarda todo, menos el telegrama, en el interior del cajón.)* Si te buscan por la pedrada, no te conozco. Te aviso para que no te ofendas. Abre.

(Ignacio se dirige hacia la puerta y abre. En el vano, aparecen dos policías: El Sonriente y El Gangoso. Visten trajes comunes. El Sonriente, no obstante sus arrebatos de cólera o fastidio, habla siempre con una sonrisa muy ancha y abierta, como llena de dientes. El Gangoso tiene el rostro muy blanco y expresión adormilada; abre muchísimo la boca para hablar, marcando exageradamente las sílabas, pero sólo ganguea, y esto ocasionalmente.)

EL SONRIENTE—Buenas tardes. ¿Podemos pasar?

IGNACIO—*(Volviéndose hacia Lorenzo.)* Te buscan.

LORENZO—¿A mí? ¿Está seguro?

IGNACIO—¿Por qué no me tuteas?

(Los dos policías entran en el cuarto. El Gangoso se dirige directamente hacia una silla y se desploma sobre ella, murmurando algo ininteligible.)

EL GANGOSO—*(Marcando mucho, pero sin emitir ningún sonido.)* ¡Podrían tener un sillón!

LORENZO—*(Aterrado.)* ¿Qué dice?

EL GANGOSO—*(Idéntico juego.)*

LORENZO—*(Id.)* ¿Qué?... ¿Qué dice?

EL SONRIENTE—*(Fastidiado.)* ¡Podrían tener un sillón! ¡Eso dice!

LORENZO—*(Sonriendo, servil.)* No lo pensamos. No se nos ocurrió comprar un sillón. A veces, uno se abandona y no piensa comprar ni siquiera lo más esencial. Si hubiéramos sabido... que el señor... quería... un sillón... hubiéramos... un sillón... *(Sonríe interminablemente hasta que la sonrisa se le petrifica en la cara. Un silencio penoso.)*

EL GANGOSO—¿Quién es el dueño de casa?

IGNACIO—*(Mientras Lorenzo, inquieto, se va acercando a él.)* ¿Qué es lo que dice? ¿Por qué no escribe?

EL SONRIENTE—*(Fastidiado.)* ¿Qué va a escribir? ¿Es mudo acaso? *(Asaltado por una brusca idea.)* ¿Ustedes... ustedes son sordos?

LORENZO—*(Se aparta de Ignacio creyendo interpretar la pregunta de El Gangoso. Señala a Ignacio, voluble.)* El señor tiró la piedra, si es lo que desea saber. Sí, por gusto. Había un chico en la calle y le tiró una piedra. Por pura diversión. *(Ignacio lo mira estupefacto. Lorenzo, cada vez con menos convicción, intentando hacer un chiste.)* Pero a su vez recibió una pedrada en la cabeza. Así que... piedra por piedra... y... pedrada... por... pedra... da...

IGNACIO—¿Estás loco? ¿Por qué me echas la culpa?

LORENZO—¿Acaso no estás lleno de magullones? Por algún motivo te pegaron.

EL GANGOSO—¿Quién es el dueño de casa?

LORENZO—*(Desesperado.)* ¿Cómo?

EL GANGOSO—*(Exasperándose.)* El patrón, ¿quién es?

LORENZO E IGNACIO—*(Con distintos grados de desesperación.)* ¿Qué dice?

EL GANGOSO—*(Haciéndole señas a Lorenzo para que se le acerque, ganguea algo rápidamente.)*

LORENZO—*(Restregándose las manos con desesperación.)* No entiendo. ¡No entiendo! *(Apasionadamente, señalando a Ignacio.)* Yo no fui, El maldito... fue éste. ¡Qué resentido! ¡Pegó a un niño con una piedra!

EL SONRIENTE—*(Con fastidio, mientras Ignacio sonríe aliviado.)*
¡Cuernos! ¿Quién le pregunta algo? ¿Ninguno de los dos entiende lo
que les dice? ¿Qué habla? ¿Chino?
LORENZO—*(Comienza a rascarse como si tuviera pulgas. No sabe
cómo confesar que no entiende palabra. De pronto, se le ilumina el
semblante. Se acerca a El Sonriente con gesto cómplice y afable.)* Escuche,
el señor es sordo. *(Señala a Ignacio.)* Completamente sordo. Tenía
razón usted. Es sordo como una acequia.
IGNACIO—*(Corrigiendo involuntariamente.)* Como una tapia.
LORENZO—¿Se da cuenta? Él mismo lo reconoce. Es sordo como
una tapia. Y encima, sólo escucha lo que quiere.
EL SONRIENTE—*(Acentúa su perpetua sonrisa.)* Ya me parecía que
uno de los dos, andaba mal de los oídos. Sólo escucha lo que quiere,
¿eh? Odio la duplicidad. *(Alza la voz como se habla a los sordos y mira
a Ignacio con sospecha.)* El dueño de casa, quién es?
LORENZO—*(Antes de que Ignacio intervenga.)* Yo no. Él tiene los
títulos de propiedad. Yo sólo vine a entregar este telegrama.

*(El Gangoso, que se ha adormilado sobre la silla, levanta la cabeza
y murmura algo. Sólo se escucha la «g» de telegrama, repetida, un
«gggggggg» rodando por la garganta.)*

LORENZO—*(Recoge el telegrama sobre la mesa.)* Aquí está el telegrama. El sello del correo está intacto. No lo abrió todavía. No se
interesa demasiado por sus asuntos, hay que confesarlo. O disimula.
¿Quieren leerlo, señores?
IGNACIO—*(Sonríe condescendiente, como un adulto frente a las
picardías de un niño. A Lorenzo, bajo.)* Lorenzo, ¿cómo van a tragarse
ese cuento? No te embrolles. Va a ser peor.

*(El Sonriente abre el telegrama, lo lee y, excitado, trata de despertar
a El Gangoso que ha vuelto a amodorrarse.)*

LORENZO—*(Se aparta de Ignacio y ríe con falsedad.)* No te hagas el
inocente, Ignacio. *(Rectifica.)* No se haga el inocente, señor. *(A los
policías.)* Señores, ¿leyeron el telegrama? ¿Acaso no dice: Felicitaciones
por el golpe, Ignacio. Firmado: el Jefe?
EL SONRIENTE—*(Admirado.)* Sí ¡Exactamente! Adivinó. ¿Cómo lo
hizo?
LORENZO—Leo a través del papel.
EL SONRIENTE—*(Id.)* ¡Maravilloso!

IGNACIO—*(A Lorenzo.)* Cállate. ¿Qué dices? ¿Crees que son tontos para creer eso?

LORENZO—*(Seco.)* No me comprometa. El tonto es usted.

(Ignacio, alterado, se dirige hacia la mesa, abre el cajón y coloca todo, almohadilla, sellos, formularios, encima de la mesa. Observa triunfante a los policías. Todos, incluso Lorenzo, miran sin prestar atención. Miran como si no hubieran visto nada.)

EL SONRIENTE—*(Agitando el telegrama.)* ¿Quién es el Jefe?

IGNACIO—¿Quién? Está inventando. Miren esto. *(Empuja los útiles hacia los policías, pero ellos observan indiferentes. Un minuto de espera. Vuelve a empujar los útiles hacia los policías, sigue empujando hasta que caen todos al suelo.)*

EL SONRIENTE—*(Patea los útiles debajo de la mesa. A Lorenzo.)* ¿Quién es el jefe? *(Señalando a Ignacio.)* Éste no va a cantar por las buenas.

LORENZO—No sé. Solamente traje el telegrama. Debe ser el patrón de él, el cerebro.

(El Gangoso se despabila un poco, bosteza, abre del todo los ojos y dirige una pregunta a Lorenzo. Éste no entiende, se asusta, recula hacia Ignacio y, sin volverse, tiende la mano hacia atrás, buscándolo a tientas. El Gangoso repite la pregunta, ya no marca las palabras sino que mueve la boca rápida, frenéticamente.)

LORENZO— *(Se acerca a Ignacio, bajo.)* Ignacio, querido, ¿qué dice? Me preguntó algo. No entiendo nada. ¿Por qué no habla más alto? ¿Qué dice?

IGNACIO—*(Lo aparta con suavidad.)* No sé. Estás asustado. Debiera romperte la cara.

LORENZO—*(Asombrado.)* ¿A mí?

(El Gangoso mueve la boca con mayor rapidez, nerviosamente. Lorenzo se aprieta más contra Ignacio, le tiemblan los labios.)

EL SONRIENTE—*(Avanza hacia ellos, la cara congestionada, la sonrisa francamente histérica. Histérico.)* ¡Le ruego que escuche! *(Lorenzo se aprieta más contra Ignacio y hunde el rostro en el hueco del hombro. El Sonriente llega hasta ellos, los mira y da a Ignacio una violentísima bofetada.)* ¡Sacuda la cabeza!

LORENZO—*(Levanta la cabeza, ve a Ignacio con la cabeza hacia atrás y la mano en la mejilla. Se aparta y empieza a tentarse de risa. Se desploma sobre una silla. Ríe convulsiva y francamente por el alivio.)* ¡Ah, ya entiendo! ¡Qué buena idea! ¡Como cuando entra agua en los oídos! Un sacudón y se destapan. ¡Sacude la cabeza, Ignacio! *(Los policías lo acompañan en la risa, tranquilos, bonachones. Lorenzo, al Sonriente.)* ¿El señor había preguntado…?

EL SONRIENTE—¿…Quién es usted?

LORENZO—*(Desenvuelto.)* Vamos, como decir qué vela llevo en este entierro. Pues ninguna, señor, ninguna. Soy mensajero de correos. El señor Ignacio me demoró con la charla. No podía sacármelo de encima. Confío librarme ahora, gracias a ustedes.

IGNACIO—*(Estallando, indignado.)* ¡Corta el nudo! ¡Corta el nudo, Ignacio!

EL SONRIENTE—*(Con suspicacia.)* ¿Qué nudo?

LORENZO—Ya ven. Está lleno de misterios. Sospechen. Es lo que hacía yo mientras me daba charla. Sospecha, me decía. ¿Por qué un tipo va a hablarle a un mensajero de correos de su novia? ¿Para qué? ¿Para que se la robe? Hablando de robos, la novia roba en las tiendas. Me dio una propina, no se puede decir que sea magnánimo. *(Siempre con el puño cerrado, se acerca a los policías. Ellos juntan las cabezas y esperan hasta que abre la mano y muestra la moneda. Entonces asienten y observan con admiración.)*

EL SONRIENTE—*(Saca un pañuelo y toma con infinitas precauciones la moneda. Señalando a Ignacio.)* Está listo. Debe tener sus huellas digitales. *(Guarda el pañuelo en el bolsillo.)*

LORENZO—¿Puedo irme? Debo entregar otros telegramas. *(Con gestos muy rápidos, se acerca a la mesa, saca nuevos útiles del cajón, escribe dos telegramas, los cierra y los sella.)*

IGNACIO—¿Qué lío hiciste? ¿Cómo te vas a ir? Estamos pegados.

LORENZO—*(Con acritud.)* ¡Qué descaro! ¿Dónde? *(Barre el aire a su costado con la mano abierta.)* Cuando te conviene. Soy libre. Tome las cosas con calma. *(Comienza a marchar hacia la salida, pero Ignacio se pega a él. Furioso.)* ¿Qué te agarró?

IGNACIO—¡No querías irte porque estábamos pegados!

LORENZO—*(Le pega un puñetazo que retumba, en las costillas.)* ¡Déjame tranquilo, idiota! *(Observa a los policías que miran interesados. A Ignacio, entre dientes.)* ¡Quédate en tu lugar! ¡No me sigas!

EL SONRIENTE—Espere. *(Una pausa.)* ¿Hace mucho que lo conoce?

LORENZO—*(Empujando furiosamente a Ignacio por un lado, pero manteniendo las formas por el otro, mientras habla a los policías.)* ¿A éste? Lo conozco del barrio, de traerle telegramas. Todos del mismo estilo.

EL SONRIENTE—*(Muy amable.)* Siéntese unos minutos, entonces. *(Lorenzo vuelve al centro del cuarto y se sienta. Ignacio sigue pegado a él y se sienta a su lado, en cuclillas. El Sonriente, interesado.)* ¿Qué tiene? LORENZO—*(Sonriendo forzadamente.)* Nada. Manías.

EL SONRIENTE—*(Saca el pañuelo y se suena las narices. Con indiferencia, ve rodar la moneda. Luego saca un atado de cigarrillos y le ofrece uno a Lorenzo. Afable.)* Sírvase. Cuéntenos, querido, todo lo que charló. Cuando se les va la lengua, se pierden solos. Los pierde la vanidad. Hablo por experiencia.

LORENZO—*(Fuma mal, piensa, no sabe qué inventar.)* Habló... por los codos. *(Se mira los codos y sonríe, distraído. Ve a Ignacio y le pega otro golpe.)* ¡Cargoso!

EL SONRIENTE—¿Quién es el jefe? ¿Lo averiguó?

LORENZO—*(Se le ilumina la cara.)* Sí, sí. Lo averigüé. Charló mucho. El jefe es él. Asaltó a un banco. Han dado muchos golpes. Déjeme ver. *(Se levanta, pateando a Ignacio que lo sigue obstinada, dócilmente, y empieza a revolver en la pila de diarios viejos. Los desecha arrojándolos por el aire. Tropieza con el de la muerte de Kennedy, con un retrato en primera plana; se desconcierta un segundo, pero rápidamente lo esconde debajo del montón. Encuentra el diario que busca y lo despliega al lado del policía, apartando siempre a Ignacio a manotazos.)* Lea. Es evidente que cometió este robo. Cuatro millones. *(Admirado, a Ignacio, como si lo creyera sinceramente.)* ¿Robaste cuatro millones?

IGNACIO—*(Incrédulo, dolorido.)* ¡Lorenzo, no son tan imbéciles para creerte! ¡Te estás embrollando!

LORENZO—*(Ferozmente contento.)* ¡No! *(Seco.)* ¡Y apártate!

IGNACIO—No puedo... Tengo ganas de sentir a alguien cerca...

LORENZO—¡Acuéstate con tu abuela!

IGNACIO—No, no... Lorenzo... tengo miedo.

EL SONRIENTE—*(Despliega el diario y lo lee, lo hojea del principio al fin. Comenta, riendo.)* ¡Qué curvas! *(Se aparta con pesar de la foto y despierta a El Gangoso. Le muestra el diario.)* ¡Caza gorda! *(El Gangoso abre dificultosamente los ojos, echa una ojeada sin interés, como si lo hicieran participar en un juego, sonríe apaciblemente y vuelve a adormilarse. El Sonriente, otra vez con el diario y mostrando cuatro dedos.)* Aquí dice: cuatro asaltantes.

LORENZO—*(Sin inmutarse.)* Sí, coartadas. Cuádruple desdoblamiento de la personalidad. Para eso, éste se pinta solo. Es hábil. *(Intenta apartar a Ignacio pateándolo, pero Ignacio se aferra a él tenazmente.*

Lorenzo, furioso.) ¡Déjame tranquilo! *(Empieza a caminar hacia la puerta, pero Ignacio lo sigue. Masculla.)* ¡Qué falta de tacto! ¡Qué inoportuno! *(Una pausa. Intenta apartarlo.)* Quédate en tu lugar. ¿Qué manía es ésta de pegarte a mí? ¡Sanguijuela! *(Sonríe dientes para afuera en dirección a los policías, mientras empuja ferozmente a Ignacio.)* ¡No seas infeliz! ¡Desgraciado!

IGNACIO—*(En voz baja.)* Por favor, Lorenzo. Aclara que son todas mentiras. No pueden creer todo lo que dijiste, pero nunca se sabe. Aclaralo.

LORENZO—¡Yo no aclaro nada¡ ¡Quiero vivir tranquilo! ¡Y suéltate!

IGNACIO—*(Aprisiona a Lorenzo entre los dos brazos y lo vuelve hacia los policías. Febril, mientras Lorenzo forcejea intentando librarse.)* Yo explicaré todo. A Lorenzo se le ocurrió tirar piedras a una lata. Y luego vio a un chico y le tiró al chico en la cabeza. Por poco no se la rompe. No lo hizo por maldad. Fue sin... querer. Él es... así... *(Lorenzo le pega un puntapié. Ignacio, furioso.)* ¡Lo hizo a propósito! Y después, me cerró la puerta... y un tipo que nos vio juntos... me rompió la cara. ¡A mí me la rompió! *(A Lorenzo.)* ¡Ahí está! ¡Lo dije todo! ¿Por qué no te habrás guardado tus mentiras? ¡Maldito impotente! ¡Todo lo arruinas porque no piensas más que en eso!

LORENZO—*(Alterado.)* ¿Que yo no pienso más que en eso? ¡Tengo mujeres a montones! ¡Sarnoso! ¿A quién molieron a golpes? ¡A los inocentes los dejan tranquilos! ¡Mírate la cara! ¡Parece un tomate aplastado!

EL SONRIENTE—*(Se levanta y toca a Lorenzo en el hombro. Tranquilizador.)* No se preocupe. Siempre acusan. *(Señalando el diario y el telegrama.)* Por suerte, tenemos las pruebas.

LORENZO—*(Sonríe.)* Gracias, señor. Me alegro de que sean testigos de esta escena: un hombre honrado nunca es tan violento. Peor que un perro. *(A Ignacio, gritando.)* ¡Pero quieres dejarme en paz!

IGNACIO—*(Asustado.)* No, no.

LORENZO—*(Siempre aprisionado, tuerce el cuello hacia El Sonriente. Mundano.)* ¿Sería usted tan amable de... de ayudarme?

EL SONRIENTE—*(Id.)* ¡Cómo no!

LORENZO—*(Id.)* Empújelo hacia atrás. Yo tiraré hacia adelante.

(El Sonriente asiente repetidamente con la cabeza, se saca el saco y lo deposita con cuidado en el respaldo de la silla. Toma a Ignacio por la cintura y forcejea hacia atrás. Ignacio cae al suelo, pero sin soltar a Lorenzo, que cae con él. El Sonriente se arroja sobre ellos y trata de separarlos. El Gangoso despierta; lanzando como un sonido de gárgaras,

*se levanta y se une al grupo. Toma a Ignacio por las piernas y empuja
hacia cualquier lado. Ignacio pega un alarido.)*

LORENZO—*(Gritando.)* ¡Maldito idiota! ¡Déjame solo! ¡Déjame solo!
*(Logra separarse mientras Ignacio rueda por el piso debajo de los policías
que golpean, El Sonriente con la sonrisa más exasperada a medida que
aumenta su entusiasmo, El Gangoso ganguea cada vez más frenéticamente. Al mismo tiempo, se escuchan los gritos de Ignacio. Lorenzo se
abalanza hacia la puerta, la abre y extiende los brazos con una exclamación de delicia.)* ¡Ah, qué aire fresco, qué aire fresco!

T E L Ó N

Acto Segundo

Cuadro III

(La misma habitación, uno o varios días después. Una escalera apoyada contra la pared, junto a un cepillo de mango largo. Entra la luz del día por la ventana. Lorenzo está en la pieza, martillando la pata de una silla. Silba, muy contento. Termina de martillar la silla, la apoya sobre el suelo. La silla se bambolea y apenas si se mantiene en pie.)

LORENZO—*(Contento.)* ¡Excelente! *(Toma en seguida la escalera, unos diarios y un gran tarro de cola y pega los diarios sobre los vidrios. La luz se va cubriendo poco a poco. Lorenzo, levemente desconcertado.)* No se ve nada... *(Baja a tropezones por la escalera, tropieza con algo, consigue encender la luz eléctrica.)* De cualquier forma, odio la luz. Estoy bien solo... Me siento bien. Quizás soy un hombre sano y él me enferma. Pero si vuelve... *(Ríe.)* ¡Tengo una idea, una magnífica idea! No es una luz como inteligencia, pero comprenderá. Más claro: agua. *(Saca debajo de la cama una vieja y sucia valija de cartón. La abre sobre la cama. Con asco.)* ¡Qué sucio! Como para prestarle algo. *(Huele.)* Huele a milanesas. *(Busca por la pieza, levanta un colchón y saca debajo un par de medias que coloca en la valija. Sacude un zapato hasta que caen otras medias, muy polvorientas, unidas con un nudo, que también guarda en la valija. Hace lo mismo con una camiseta agujereada que saca de un cajón.)* ¿Qué más tiene? Un pantalón. Tiene dos pantalones, uno puesto. *(Busca en los cajones.)* ¿Dónde estará? *(Con una exclamación de alegría lo descubre en el suelo, debajo del cepillo de limpieza. Lo sacude.)* Está mojado. *(Lo dobla, lo coloca dentro de la valija.)* Pondré la valija en el pasillo, si regresa, se dará cuenta de la intención. No quiero compromisos. Un tipo que tiene líos con la policía, no es una buena compañía. O pondré la valija en la puerta de la calle. Si alguno se la lleva, mala suerte. *(Cierra la valija, la levanta con mucha fuerza, pero la valija no tiene peso y la fuerza le sobra. Desconcertado.)* ¡No pesa nada...! *(Una pausa.)* Pondré los diarios. Verá que no tengo mala voluntad. Lo mío y lo tuyo. Aquí empieza la buena voluntad. Si lo tuyo no existe, mala suerte. Los diarios los compró Ignacio. Que se los lleve. *(Llena la valija con los diarios viejos, los prensa con esfuerzo y la cierra. Alza la valija y la coloca en el suelo.)* Ahora sí, pesa. *(Un silencio.)* ¡Me siento bien! *(Aspira y espira profundamente.)* Dos colchones. Juntaré los dos colchones y... *(Decidido.)* Empezaré a mirar mujeres. *(Sube en el banquito y abre la ventana. Se asoma con medio cuerpo afuera, saca un peine del bolsillo y se peina.)* Probaré con lo primero que venga. Gorda o flaca, vieja o joven. Para probar, no debo tener pretensiones. *(Con una risita.)* ¡Basta de que no carezca de lo esencial! *(Mira. Pone cara de desagrado.)* ¿Y ésta? ¿De dónde salió? ¡Qué seca! Está bien conformarse, ¡pero no tiene nada! *(Se vuelve hacia el interior de la pieza, comentando.)* ¿Viste, Ignacio, qué? *(Se para en seco, furioso.)* Con dos colchones es más fácil, me arruinaba los programas. *(Vuelve a mirar.)* ¿Y ésta? ¡Es una vaca! Si la traigo, me asfixia. ¡Y toda pintarrajeada! ¡Qué asco! La cara que tendrá al levantarse! Mejor acostarse con un cuco! *(Saca medio cuerpo afuera, ahora en dirección opuesta, para gritar.)* ¡Eh! ¿Cree que con las tetas se hace todo? ¡Gorda! *(Ríe, pero se interrumpe bruscamente y cierra la ventana, asustado.)* ¿Me habrá escuchado? *(Baja del banco, se dirige a la puerta de entrada y la cierra con llave.)* ¡Qué mala suerte! Estaba en la esquina, besar esa cara... Era un buey... *(Ríe sin ganas.)* ¡Claro, la vaca con el buey! ¡Je, je! Tengo tiempo. Hoy va a caer alguna en mis brazos. Paciencia. Ahora estoy solo. La casa es mía, los colchones son míos. Alquilaré esta pieza y viviré de rentas. Las mujeres son interesadas. *(Abre una hendija de la ventana y espía. Se tranquiliza y abre del todo. Se acoda sobre el marco de la ventana.)* ¡Qué escasez de mujeres! ¿Dónde se habrán metido? Pero tengo todo el tiem... *(Ve algo y enmudece.)* ¿Cómo es posible? *(Trastornado.)* ¡No hay seguridad para nada, no se puede confiar en nadie! *(Cierra apresuradamente la ventana y gira el pasador. Da unos pasos por la pieza, refregándose las manos en una forma extraña, como si aplaudiera, muy nervioso. Ve la valija, la recoge.)* Pondré la valija en la calle, así comprenderá... Más claro: agua. *(Abre con decisión la puerta y en el umbral está Ignacio, el mismo aspecto, sólo el aire un poco más apaleado. Habla en voz más baja.)*

LORENZO—*(Muda de color, balbucea.)* Hola...

IGNACIO—¿Te vas?

LORENZO—*(Balbucea.)* No... Te llevaba la... la valija...

IGNACIO—¿Adónde?

LORENZO—¿Adónde?... Creí que todavía estabas... en... *(Tiene una arcada.)* Me siento... mal... *(Ante su sorpresa, Ignacio le pasa delante sin mirarlo, cruza la habitación y se acuesta en la cama. Lorenzo pasa también al interior y se sienta en una silla, junto a la mesa. Un silencio. Mundano.)* ¿De qué quieres que te hable? *(Un silencio.)* Me siento... descom... puesto... *(Comienza a temblar violentamente, es sincero, pero exagera. Un silencio. De repente.)* ¿Por qué tienes esa voz?

IGNACIO—*(Neutro.)* Estuve resfriado. Me quedé ronco.

LORENZO—¿Cómo estás?

IGNACIO—*(Id.)* Mal.

LORENZO—*(Asombrado.)* ¿Mal? *(Con una sospecha.)* No reconozco tu voz. Eres capaz de hacer pasar a otro por ti. ¿Eres Ignacio, no? *(Se alza sobre la silla y lo mira. Sociable.)* ¿Cómo te trataron?

IGNACIO—*(Neutro.)* Me pusieron el diente.

LORENZO—¿Sí? ¡Qué amables! Eran simpáticos. A mí me resultaron simpáticos, ¿a ti no? Claro, tirarle piedras a un chico, no produce buen efecto a nadie, menos a ellos que deben cuidar... IGNACIO—No fue por la piedra... LORENZO—*(Más animado con la charla.)* ¿No? ¿Ah, por lo del robo? *(Empieza a sonreír.)* ¿Creyeron la broma? Pero si estaban los formularios, la almohadilla con tinta, el sello de correos, todo estaba encima de la mesa.

IGNACIO—Tampoco fue por eso. No les caí simpático... Y tú... *(Se incorpora, sobre un codo, parpadea.)* Lorenzo, ¿por qué me hiciste eso?

LORENZO—*(Sonríe débilmente, como un niño que no sabe excusarse, desarma.)* ¿Qué te hice? No te hice nada. No les caíste simpático. Igual te hubieran... *(No quiere reír, pero empieza a tentarse. Rompe a reír, conteniéndose al principio, pero luego se desborda.)* ¡Ah, por eso! ¡Qué me cuentas! ¡El simpático resulté yo! ¡Qué alegría me da resultar... simpático...! ¡Yo, el simpático! *(Ríe mientras Ignacio lo mira, se detiene poco a poco, mira hacia otro lado, consciente de la mirada de Ignacio, coloca los codos sobre la mesa y empieza a rascarse la cabeza. Un penoso silencio.)*

IGNACIO—*(Se acuesta nuevamente.)* Lorenzo...

LORENZO—*(Solícito.)* Sí, sí, querido, a tus órdenes.

IGNACIO—Algún día... te... te reviento.

LORENZO—*(Palidece, se lleva las manos hacia el costado.)* Ignacio... me siento mal. Te... te necesito.

IGNACIO—¡Ojalá revientes!

LORENZO—*(Apoya el rostro sobre la mesa y comienza a llorar.)* No quise... hacerte mal... Sólo... pensé... en la casa. Me gusta... esta casa. Me gusta... *(Levanta la cabeza, sonríe),* la forma en que ríes. Por eso te hago perradas, para que te rías lo menos posible. Cada vez... que ríes, me quitas algo, lo que no es mío. ¿Y por qué ¿Por qué yo me río así? *(Sonríe con una mueca forzada.)* ¡No me gusta! *(Con desaliento.)* Deseo tu forma de reír... y... y no hay caso. No lo consigo, Ignacio... *(Silencio de Ignacio.)* No quería que te lastimaran, somos hermanos, nacimos juntos. Si te mueres, puedo quedarme con todo, con las camas y... las sillas... y... pero no quiero que te mueras. ¡No quiero, no quería hacerte mal, Ignacio! *(Llora.)* ¡Soy un cretino, un cretino! *(Ignacio se incorpora y lo mira. Lorenzo llora, pero menos sinceramente ahora, espía por el rabillo del ojo el efecto de su llanto sobre Ignacio, exagera levemente.)* IGNACIO—*(Aplacado.)* Lorenzo, Lorenzo...

(Lorenzo muestra una payasesca y triunfante sonrisa hacia un lado, se vuelve luego hacia Ignacio y le muestra el rostro apenado, arrepentido.)

CUADRO IV

(La misma habitación. Lorenzo está delante de la mesa poniéndose unos guantes de goma con gestos de cirujano. Tiene aire contento y atareado. Sobre la mesa, papel, tinta, un libro. Desde la puerta que da al patio, Ignacio arroja un avión de plástico que pega a Lorenzo en la cabeza.)

LORENZO—*(Se vuelve furioso.)* ¿Qué haces? Así vas a adelantar mucho. Si cada vez que armas un juguete, te entretienes jugando, vas a adelantar mucho. Después te quejas de que no tenemos plata.

IGNACIO—*(Recoge el avión.)* ¿Por qué no me ayudas un poco?

LORENZO—¿Yo? Sólo trabajo por placer. Y también por placer, me aburro.

IGNACIO—¿Qué vas a hacer con esos guantes?

LORENZO—*(Muy digno.)* No hablábamos de mí. Pero te contestaré. No quiero ensuciarme las manos. ¿Terminaste el trabajo?

IGNACIO—No.

LORENZO—Apúrate. Sabes bien que soy inútil para ganarme la vida.

IGNACIO—*(Mientras se dirige al patio.)* Hoy lo termino. *(Vuelve en seguida con una bolsa de arpillera llena de juguetes de plástico, la vacía en el suelo, se sienta y comienzo a armarlos.)*

LORENZO—*(Comienza a escribir cuidadosamente. Luego ensobra.)* Por favor, no pases otra vez por la panadería. El pan parecía de piedra.

IGNACIO—*(Disculpándose.)* Yo les pedí pan viejo, para que no se clavaran.

LORENZO—¡Qué idiota! *(Una pausa.)* Igual tienen todas porquerías.

IGNACIO—*(Con calor.)* ¡No, no!

LORENZO—¡Te digo que sí! El patio desborda de pan viejo. Van a venir las ratas.

IGNACIO—*(Feliz.)* Más pan compro, más puedo hablarle.

LORENZO—¡Qué gusto tienes, querido! Pero sobre gustos, no hay nada escrito. Esa chica es un esperpento.

IGNACIO—Es linda. *(Tímidamente, después de una pausa.)* Me gustaría casarme, vivir aquí.

LORENZO—*(Indiferente.)* ¿Quién te lo impide?

IGNACIO—Pero tres en una pieza...

LORENZO—Yo sobro, ¿no?

IGNACIO—No.

LORENZO—A veces, eres de una vileza increíble. Me doy cuenta de que sobro. Está bien. Cásate. Caín.

IGNACIO—No, no. Podemos vernos, serás amigo de Inés también.

LORENZO—Ah, ¿se llama Inés?

IGNACIO—Sí.

LORENZO—¿Qué harás con el padre?

IGNACIO—¿Con quién?

LORENZO—Con el padre. No la deja ni a sol ni a sombra.

IGNACIO—Le hablaré.

LORENZO—Te romperá los dientes. Es un gallego muy nervioso. ¡La cuida al esperpento ése!

IGNACIO—Hay muchos vivos. En la panadería, entran muchos vivos. Cuando agarran el pan, estiran demasiado el brazo y la tocan.

LORENZO—Debe gustarle. Y el padre, ¿qué hace?

IGNACIO—Los saca a empujones. A mí también me mira con malos ojos. Ayer me empujó.

LORENZO—¡También! ¿Por qué no esperaste a que la chica desarrollara?

IGNACIO—Tiene quince años.

LORENZO—Pero igual es un esperpento.

IGNACIO—¿No te gusta? ¿Me lo dices seriamente?

LORENZO—¡Hum! Podría pasar, salvo la cara. Tiene las piernas torcidas, las manos ordinarias y, de arriba abajo, es toda de una pieza: sin cintura. Podría pasar, pero no es mi tipo.

IGNACIO—*(Se levanta y se acerca a la mesa. Lorenzo oculta todo con las manos.)* ¿Qué escribes?

LORENZO—Cartas. Me escribo cartas.

IGNACIO—¿Por qué tienes las Memorias de una Princesa Rusa?

LORENZO—Busco inspiración. Nadie me manda cartas. Es triste.

IGNACIO—Yo te escribiré.

LORENZO—*(Escéptico.)* ¡A buena hora! Usé tu papel. ¿Por qué no le hiciste imprimir tu nombre?

IGNACIO—¿Para qué?

LORENZO—Está todo manoseado. Alguna vez podrías lavarte las manos.

IGNACIO—*(Se observa las manos.)* Es cierto. Inés es muy limpia. Ni siquiera tiene mugre bajo las uñas. Lorenzo, ¿de verdad no te molesta irte a vivir solo? Podrías venir cuando quisieras. Esta sería tu casa, también. *(Sonríe.)* Además, no estoy seguro.

LORENZO—*(Genuinamente sorprendido.)* ¿Con quién? ¿Conmigo?

IGNACIO—Sí. Me hiciste muchas perradas.

LORENZO—¿Yo? Sí, sí, te hice perradas. ¿Pero sabes por qué? Soy desdichado. Las chisto, las chisto, y es como si lloviera.

IGNACIO—Insiste.

LORENZO—Y si alguna me diera corte, ¿qué pasaría? *(Se encoge de hombros.)* Podrían quedarse años en el colchón.

IGNACIO—Insiste. Las mujeres son raras, a algunas hasta les gusta esperar. No te desanimes por eso. Insiste, pero sin chistarlas. No les gusta, no son perros.

LORENZO—*(Enojado.)* ¡Cada cual tiene su estilo!

IGNACIO—¡Pero el tuyo no conduce a nada!

LORENZO—¡Sarnoso! *(Se contiene, hipócrita.)* Vas a estar cómodo aquí, cuando yo me vaya. *(Sonríe extrañamente.)*

IGNACIO—¿Por qué sonríes?

LORENZO—¿Yo?

IGNACIO—*(Señalando las cartas.)* No te metas en líos.

LORENZO—¡No! Me alegro por tu felicidad. *(Vuelve a sonreír.)*

IGNACIO—*(Lo mira en silencio, luego, conmovido.)* ¿Cambiaste?

LORENZO—*(Sincero.)* Sí, sí. Cambié.

IGNACIO—*(Ríe.)* Lorenzo, quién sabe... ¡la mando al cuerno!

LORENZO—*(Id.)* ¡No, no! ¡Por mí no!

IGNACIO—Bueno, no. No podría. Pero la puedo ver afuera. Convencer al padre. Aquí está el hermano, el amigo.

LORENZO—*(Lo mira limpiamente.)* Yo. Podría ser... *(Contento, Ignacio saca medio pan del bolsillo y empieza a comerlo. Lorenzo queda abstraído un momento, lanza un suspiro divertido y se levanta. Reúne las cartas.)* Voy a echar estas cartas al correo. *(Se saca los guantes de goma y se coloca unos gruesos mitones de lana. Es evidente su cuidado de no tocar las cartas con las manos desnudas.)*

IGNACIO—*(Al ver los mitones.)* ¿Qué haces? Van a tomarte por loco.

LORENZO—*(Se pone las cartas en el bolsillo.)* No. ¿Por qué hablas con la boca llena? Se te ve la comida. Das asco.

IGNACIO—*(Traga.)* Hace calor.

LORENZO—Por eso mismo. Hace calor y traspiro. La lana absorbe el sudor. En verano, voy a vestirme todo de lana. *(Ríe.)* Si vas a entregar los juguetes, pasa por la panadería. Pasa todos los días de hoy en adelante. IGNACIO—*(Se adelanta hacia Lorenzo, lo golpea amistosamente con el puño.)* ¡Lorenzo! LORENZO—*(Sonriente y amistoso.)* Voy a entregar esto, no sé si personalmente o por correo. Podríamos pasear un poco antes. IGNACIO—¿Personalmente? ¿Pero a quién le escribiste? LORENZO—A mí mismo. No repitas las preguntas. ¿No quieres pasear? Me siento bien, pero me agradaría tener un último recuerdo de estos paseos. En el fondo, soy un sentimental. *(Ríe. Pasean; los brazos recíprocamente colocados sobre los hombros, pierna izquierda contra pierna derecha, marcando el mismo paso.)* IGNACIO—*(También riendo.)* ¿Un último recuerdo? LORENZO—*(Muy risueño.)* ¿Un último recuerdo, dije? Claro, ¡si te casas! *(Después de un momento, vuelve a reír. Sin saber el motivo, Ignacio lo acompaña en la risa, feliz. Pasean.)*

CUADRO V

(La misma habitación, días después. Sólo hay una cama ahora. La mesa está llena de pan y de paquetes de panadería, envueltos en papel blanco, atados con una cintita. Lorenzo está subido en el banco, asomado a la ventana con medio cuerpo afuera, chistando a las chicas.)

LORENZO—*(Emocionado.)* ¡Dios mío, qué belleza! *(Angustiado.)* ¿Qué le digo? ¡Pronto! ¡Ignacio, no se te ocurre nada? *(Se vuelve, lo busca con la mirada.)* ¿Dónde se metió? *(Chista nuevamente hacia afuera.)* Amorcito... A... mor... ci... to... ¡Qué ojazos! *(Debe recibir algún desaire, porque se queda inmóvil, perplejo; luego se asoma nuevamente y grita, furioso.)* ¡Porquería! *(Un silencio.)* ¿Qué pretenden? Yo les miento. Tienen ojos de pajarito, piernas con músculos de boxeador, torcidas. *(Se toma el costado, llama.)* ¡Ignacio! *(Furioso.)* ¡Ignacio! *(Entra Ignacio por la puerta que da al patio, ha perdido su aire de felicidad.)* Me duele, IGNACIO—*(Seco.)* Acuéstate, si te duele.

LORENZO—Sabes que acostado no me pasa. *(Ignacio comienza a silbar, indiferente. Lorenzo, alterado.)* ¿Todavía te dura? ¿De qué me acusas ahora? No te hice nada.

IGNACIO—No sé si no me hiciste nada.

LORENZO—¡Ah, bueno! ¡No sabes y me acusas! ¿Qué mosca te picó? Te vas a agarrar una pulmonía durmiendo en el patio. ¿Por qué no te marchas directamente?

IGNACIO—Sí, me voy.

LORENZO—Sí, me voy. Pero después vuelves. Es tu casa.

IGNACIO—¡Guárdatela! *(Con furioso pesar.)* ¡No puedo verte más la cara! ¡A nadie le puedo ver más la cara!

LORENZO—*(Atento sólo a lo que le interesa.)* Me das la casa, pero sin papeles. Cualquier día, puedes venir y decirme: raje.

IGNACIO—*(Encolerizado.)* ¿Pero qué quieres que haga? ¿Escritura?

LORENZO—No. Pero testamento sí podrías hacer.

IGNACIO—*(Cada vez más rabioso.)* ¡No tengo a nadie! Nadie te la va a reclamar.

LORENZO—Nunca se sabe.

IGNACIO—¡Te regalo la casa! Pero primero te mato. *(Lo toma por la camiseta y empuja.)*

LORENZO—*(Retrocede atemorizado, sinceramente entristecido.)* Ignacio, Ignacio, hermanito... ¡Ya no comprendes?

IGNACIO—*(Lo suelta. Apenado.)* ¿Por qué me pegó el gallego, Lorenzo? Tengo que desquitarme con alguno. ¿Por qué me pegó?

LORENZO—¡Qué sé yo!

IGNACIO—¡Sólo por mirarla!

LORENZO—La gente es así: ¡loca!

IGNACIO—Me golpeaba y me decía: ¡escríbale inmundicias a su madre! ¡A mi madre!

LORENZO—¡No tienes!

IGNACIO—Escríb... *(Sospecha algo, mira a Lorenzo que guarda una expresión inocente.)* ¿Qué escribías el otro día? ¿A quién?

LORENZO—A mí mismo. Mañana recibiré las cartas. Pero no te las dejaré leer.

IGNACIO—Sabes imitar mi letra, sabes copiar...

LORENZO—Pero nunca pude falsificar tu letra perfectamente, lo sabes. Eres casi analfabeto.

IGNACIO—Pero una vez falsificaste billetes de banco.

LORENZO—Todavía tengo. *(Una pausa, sincero.)* Ignacio, ¿cómo iba a hacerte eso? ¿Escribirle inmundicias a una chica de quince años? ¡En tu nombre!

IGNACIO—Sí. *(Lo mira. Una pausa.)* Eres inocente, inocente.

LORENZO—*(Emocionado.)* Sí, ¿te das cuenta? La inocencia es lo peor que hay en mí. *(Una pausa, sonriente.)* ¿Te pasaste con la hija?

IGNACIO—No. Me pegó por mirarla.

LORENZO—¿Y no avisó a la policía?

IGNACIO—¿Por qué iba a avisar?

LORENZO—*(Aparte, pensativo.)* Tantas precauciones, ¿para qué? Me asé con los guantes de lana. *(Contra alguien.)* ¡Idiota! Pero no es inventiva lo que me falta. *(Se acerca a la mesa y corta un pedazo de pan.)*

IGNACIO—*(Con sospecha.)* ¿Por qué tanto pan? ¿Quién te lo dio?

LORENZO—La plata.

IGNACIO—Eres un tacaño. ¿Para qué ibas a comprar tanto pan? ¡Y masitas!...

LORENZO—*(Se acerca, desenvuelve un paquete de masitas. Las revuelve, groseramente, no concluye de elegir, las que desecha las tira al suelo.)* ¡Qué porquería! *(Corta otro pedazo de pan. Masticando, muy ordinario, triunfante.)* Piensa lo que quieras. Tengo mis rebusques.

IGNACIO—¿Donde?

LORENZO—En las panaderías. Las mujeres me buscan.

IGNACIO—*(Lo mira un segundo.)* Me voy. Ahora sí me voy.

LORENZO—*(Antes de que Ignacio concluya de hablar, saca la valija debajo de la cama.)* Aquí está tu valija. *(Tira pan y masitas al suelo y abre la valija sobre la mesa.)*

IGNACIO—*(Se acerca.)* ¿Por qué la forraste?

LORENZO—Puedes agradecerme el trabajo, ¿no? El fondo está lleno de grasa. ¿Qué hacías adentro? ¿La comida?

IGNACIO—Te la presté para un pic-nic y se te rompió el paquete con milanesas.

LORENZO—Ah, pero pasó tiempo, ¿no? La grasa se seca.

IGNACIO—*(Mansamente.)* Soy muy descuidado. *(Empieza a buscar la ropa.)* ¿Dónde está mi ropa?

LORENZO—Si no tienes. *(Ignacio pone su camiseta dentro de la valija, saca su pantalón nuevamente debajo del cepillo de limpieza, lo sacude y lo guarda. Lorenzo.)* Puedes llevarte mi cepillo de dientes.

IGNACIO—No quiero.

LORENZO—¡Cuánto orgullo!

IGNACIO—*(Revisando el ropero, lleno de trajes.)* ¿De dónde sacaste tanta ropa?

LORENZO—Querido, tengo mis rebusques. No necesito a las mujeres. ¿Qué creíste? No soy un inútil.

IGNACIO—Entonces... el pan...

LORENZO—¡Lo compré! *(Ríe por la nariz, con un soplido.)*

IGNACIO—*(Sonríe, ríe luego, increíblemente aliviado. Se sientan los dos y acercan luego las sillas. Se palmean mutuamente las rodillas. Ignacio.)* Y toda esa ropa...

LORENZO—Para ambos.

IGNACIO—*(Riendo.)* ¡No eres tan bestia!

LORENZO—*(Siempre soplando por la nariz.)* ¡No, no soy!

IGNACIO—Te mantuve todos estos años y tú...

LORENZO—¡Como la hormiguita! *(Ríen los dos, Lorenzo siempre soplando por la nariz. Sin golpear en la puerta, entran los dos policías: El Sonriente y El Gangoso. Ignacio deja de reír, sorprendido. Lorenzo continúa soplando tranquilamente. El Gangoso se acerca a la valija y agita el contenido en el aire. Ganguea algo que no se entiende.)*

EL SONRIENTE—*(Traduce, risueño.)* ¡Pájaro que robó, voló!

IGNACIO—*(Como El Gangoso continúa sacudiendo la valija.)* ¡Está vacía! *(Los dos policías lo miran sonrientes. El Gangoso, muy divertido, mueve la boca sin que se escuche palabra. Ignacio, sonriendo desconcertado.)* ¡No entiendo! *(El Gangoso repite su mímica. Los dos miran sonrientes a Ignacio, esperando.)*

EL SONRIENTE—*(Mientras El Gangoso comienza a sacudir de nuevo la valija, muy risueño.)* ¡No, no está vacía! *(Con evidente placer, moviendo desenfrenadamente la boca, El Gangoso empieza a arrancar el papel. Cae una lluvia de billetes falsos.)*

LORENZO—*(Deja de soplar. Sorprendido, sin énfasis.)* ¡Billetes falsos! ¡Oh, qué puerco! *(Vuelve a soplar por la nariz hasta que se atora y debe lanzar la risa como un chorro, violentamente, a carcajadas.)*

CUADRO VI

(La vereda de la cárcel en primer plano. La cárcel, detrás, es un simple telón pintado. Un viejo está sentado en el cordón de la vereda, mordiendo los pies en forma extraña. Nunca aparta los ojos de sus propios pies. Después de un momento, entra Lorenzo. Se ha disfrazado de judío, con un largo sobretodo negro hasta los tobillos, sombrero redondo del que escapan los tirabuzones de una peluca. Habla normalmente. Dirige una disimulada mirada a la cárcel y se acerca al viejo que no deja de mover los pies y nunca lo mira, por lo tanto.)

LORENZO—*(Cortés.)* ¿Usted hace mucho que está aquí, señor?

EL VIEJO—Me siento aquí, todas las tardes, a tomar fresco. En mi casa, no hay sillas, no hay aire: me ahogo.

LORENZO—Busco a un muchacho bajito, muy oscuro, picado de viruelas, con los dientes salidos para afuera y anteojos. ¿Lo conoce?

EL VIEJO—No.

LORENZO—Es mi hijo. Tengo un hijo grande, un hijo chico. Le pegó un tipo bajo, blanco, con cara de infeliz. Le faltaba un diente, acá, en el medio... *(Se señala, deteniéndose.)* ¿No puede mirar?

EL VIEJO—No.

LORENZO—No importa. Ya se lo pusieron. ¿Lo conoce? ¿Lo vio por acá?

EL VIEJO—No.

LORENZO—No importa. *(Una pausa.)* Se llama...Horacio... o Ignacio... Le pregunto si lo vio porque quiero romperle la cara. Le pegó a mi hijo.

EL VIEJO—No veo a nadie. Trato de no mojarme los pies. La alcantarilla está tapada. No corre el agua y desborda. Si me mojo los zapatos, estoy listo. No tengo otros. A mi edad es grave. Un resfrío lleva a la tumba. *(Se escucha la voz de Ignacio llamar desde lejos.)* ¡Lorenzo! ¡Lo... ren... zo...!

EL VIEJO—¿Lo llaman a usted?

LORENZO—¿Está loco? ¿Dónde vio a un judío llamarse Lorenzo? *(Con suspicacia.)* ¿No se llama usted Lorenzo?

EL VIEJO—*(Con sencillez.)* No. Hace mucho que vengo acá; no veo a nadie, no me llama nadie. Lo peor es observar a la gente. Mirar se puede, como distracción, claro. *(Se vuelve a escuchar la voz de Ignacio, débil y lejana, llamando. Por contestación, Lorenzo dobla el brazo en un gesto expresivo y se marcha, furioso.)*

EL VIEJO—*(Pensativo.)* Si traigo un palito, puedo destapar la alcantarilla. Entonces, el agua correrá y podré sentarme tranquilo, mirar a la gente de cuando en cuando. *(Una pausa.)* No pude contestarle al señor como debía. Tomar fresco es lindo, pero sin ver a nadie resulta aburrido, a la larga. La vida debe ser amena, porque si no, uno piensa demasiado en la muerte, concluye por desearla. Con un palito, correré a un costado toda la inmundicia y el agua correrá. Seré feliz. *(Mientras habla, entra Lorenzo disfrazado de ciego. Usa el mismo sobretodo negro pero se ha cambiado de peluca, lleva una de largos cabellos sobre los hombros. Usa anteojos negros y empuña un bastón con el que tantea el cordón de la acera. Cuando llega al viejo, lo golpea sañudamente, pero como si no hubiera advertido su presencia.)*

LORENZO—*(Golpeando.)* ¿Qué hay aquí? ¿Qué hay aquí?

EL VIEJO—*(Sin dejar de mover los pies, cubriéndose con los brazos.)* ¡Ay! ¡Ay, hermano, aquí estoy! Un viejo.

LORENZO—¿Un viejo? Perdone. ¿Lo lastimé?

EL VIEJO—No.

LORENZO—¿Podría darme una ayuda?

EL VIEJO—¿Por qué?

LORENZO—Soy ciego.

EL VIEJO—¿Ciego? ¡Qué desgracia! No tengo.

LORENZO—Los viejos son siempre miserables. ¿Para qué? Si en la tumba no le entrarán más que los huesos. ¿Cuánto mide? ¿Uno setenta? Deje todo afuera, tacaño. Se la harán más chica.

EL VIEJO—*(Sinceramente asustado.)* ¿Más chica? ¿Cree? A mí siempre me gustó estar cómodo. Aun esto, mover los pies, me fastidia. No soy tacaño. *(Revuelve en sus bolsillos, a tientas tiende una moneda que Lorenzo recoge ávidamente.)* Tome, no tengo más. Cuidado con el agua.

LORENZO—¿Hay agua?

EL VIEJO—Sí, la alcantarilla está tapada y el agua desborda. El día que consiga un palo, la destapo. Pero es difícil conseguir un palo.

LORENZO—¡Ah, por eso me mojaba los pies!

EL VIEJO—¿Usted viene seguido por aquí? Ya ve, nunca lo he visto. Me gustan los ciegos: no ven.

LORENZO—Vengo todos los días. ¿Sabe por qué? Es un lugar óptimo para la limosna. *(Señala la cárcel.)* Los de allí son buenos. El personal, claro. Había uno de los presos que me puteaba. ¿Nunca lo vio?

EL VIEJO—No.

LORENZO—Hace rato que no lo escucho. Lo habrán dejado libre. ¿Usted no vio si lo dejaban libre?

EL VIEJO—Nunca veo a nadie. También puede ser que haya muerto.

LORENZO—*(Contento.)* ¿Usted cree?

EL VIEJO—Sí. Mejor para usted. Es feo que lo puteen a uno. *(Accidentalmente, toca el bastón de Lorenzo.)* ¿Tiene un palo?

LORENZO—Es un bastón.

EL VIEJO—Un bastón podría servir. ¿Me lo presta?

LORENZO—¿Quiere hacerme matar? Sin el bastón, me caigo.

EL VIEJO—Siéntese acá. Cuide de no mojarse los pies. Con el bastón, puedo destapar la alcantarilla. *(A tientas, tiende la mano.)*

LORENZO—*(Le da un golpe con el bastón.)* ¡Quédese quieto! *(Se pone el bastón bajo el brazo.)* Si está muerto, no vengo más. ¿Pero quién le puede hacer caso a este viejo? Desvaría. *(Rezonga furioso mientras sale.)* ¡Pérdida de tiempo! EL VIEJO—¿Por qué me pegó? Usted también es un viejo. Y ciego, para colmo de males. *(Moviendo a tientas la mano, primero con precaución, luego más libremente.)* ¿Dónde está? Préstemeel bastón... Si no quiere sentarse, quédese de pie, inmóvil. Nadie se lo va a llevar por delante, yo lo cuidaré. Me gusta cuidar a los ciegos. Préstemeel bastón. *(Espera.)* ¿No contesta? ¿Se fue? *(Después de una pausa.)* Contésteme, ¿se fue? *(Una pausa, suspira.)* Sí, se fue. ¡Qué carácter! La desgracia debe haberle agriado el carácter. No me gustan los ciegos: no ven nada, no quieren que los otros vean. El bastón hubiera sido ideal. Hubiera podido empujar toda la inmundicia a un costado, con la mano me da asco. Así, tomo fresco pero no lo disfruto, el descanso no es completo. ¡Qué egoísta! ¿Qué le hubiera costado?

(Entra Lorenzo arrastrando un carrito de mano, lleno de cachivaches. Al pasar delante del viejo, se le cae un mango con un resto de escoba. El viejo se lo apropia ávidamente y sin levantarse, siempre moviendo los pies para evitar el agua, se va arrastrando hasta el extremo opuesto del cordón, donde empieza a rascar la alcantarilla, muy contento, casi febril. Lorenzo se ha rapado completamente la cabeza, tiene un traje a rayas y un pañuelo a pintitas en el cuello. Recuerda vagamente a un preso de un campo de concentratión, aunque su aspecto es mucho más saludable. Se detiene y mira ansiosamente la cárcel.)

LORENZO—*(Muy bajo, casi inaudiblemente.)* ¡Ignacio...! *(Se inclina acomodándose una zapatilla y llama, con la vista clavada en el suelo, y un hilo de voz.)* ¡Ignacio...! *(Breve pausa. Con zozobra.)* Pero no vayas a llamarme por mi nombre, idiota. No me comprometas. Sólo me intereso por tu salud. No me comprometas: mal de muchos, consuelo de tontos.

EL VIEJO—*(Contento, sin dejar de mover los pies, a Lorenzo.)* ¡La destapé! ¡Corre el agua! Había mal olor. Pero no puedo dejar de mover los pies. ¡Estoy tan acostumbrado!

LORENZO—*(Agrio.)* ¿Tiene algo para vender?

EL VIEJO—*(Sorprendido.)* ¡No!

LORENZO—¡Entonces no me dé charla! *(Grita.)* ¡Compro botella, cama vieja, trapoviejoignacio, diario viejo! *(Sale El Sonriente. Mira a ambos lados de la calle y llama a Lorenzo, sin reconocerlo.)*

EL SONRIENTE—¡Venga!

LORENZO—*(Aterrado, se vuelve hacia el viejo.)* ¡Lo llama!

EL VIEJO—*(Incorporándose lentamente.)* No, no, a usted.

EL SONRIENTE—¡Venga!

LORENZO—*(Con suma diligencia, va hacia el viejo y con un empujón lo hace avanzar hacia El Sonriente.)* ¡Vaya!

EL SONRIENTE—*(A Lorenzo.)* Gracias.

(Lorenzo se apura a empuñar el carrito y empujarlo hacia la salida. Pero allí tropieza con El Gangoso, quien viene acompañado por otro viejo y por un muchacho. El Gangoso abre los brazos y empuja también a Lorenzo.)

EL GANGOSO—¿Por qué tanto apuro? *(A El Sonriente.)* ¿Alcanzan?

LORENZO—*(Atónito.)* ¿Habla?

EL GANGOSO—*(Que habla normalmente y que tampoco lo reconoce, sorprendido.)* Sí. Siempre. ¿Por qué?

LORENZO—No, no. Decía. Yo... yo estuve mucho tiempo mudo. Después me curé, con un susto. Ahora hablo de corrido. De chiquito tampoco hablaba. No sabía con quién.

EL SONRIENTE—¿Quién le pregunta algo?

LORENZO—*(Voluntarioso.)* ¡Nadie! Felizmente, nadie me pregunta nada. La tierra es libre. *(Se embrolla.)* Nadie pregunta... Nadie... contesta... Cuando hablamos es... cuando...

EL GANGOSO—*(Afable.)* Bueno, sí. Basta, querido, basta. Se nos hace tarde.

EL SONRIENTE—¿Alcanzan estos cuatro?

EL GANGOSO—Son muchos.

EL SONRIENTE—No importa. Así no se cansarán. Harán rápido el trabajo. *(A Lorenzo.)* Vacíe el carrito.

LORENZO—*(Voluntarioso.)* Sí, sí. ¡Cómo no! ¡A sus órdenes!

(Diligentemente, deposita todo en el suelo, botellas, restos de escobas, una enorme palangana oxidada.)

EL GANGOSO—*(Juzgando el carrito.)* ¿No será chico?

EL SONRIENTE—No se preocupe. Si es chico, lo doblamos. También pueden llevar ellos, a pulso, lo que sobre. En fila, por, favor.

(Todos se colocan en fila, Lorenzo se apura a ocupar el primer lugar. Haciendo un ademán de que esperen, los policías salen y vuelven a entrar al instante trayendo un cuerpo, el de Ignacio, envuelto en un género escaso. Lo suben en el carrito. Como el carrito es chico, tienen bastante dificultad para acomodarlo. La cabeza queda oculta, pero se les escapa un

brazo, una pierna, y esto se repite varias veces. Entre el cuerpo muerto que
no quiere acomodarse y los policías que se empeñan en hacerlo, hay una
lucha obstinada, de contenida violencia. Finalmente, los policías optan por
doblarle la cabeza sobre las piernas. Desde el interior de la cárcel alguien
arroja una pala. Cae de lleno sobre Lorenzo que pega un grito de dolor.)

EL SONRIENTE—Iremos al campo. Está fresco, brilla el sol. No se
apuren. Caminaremos lentamente, hay tiempo. No lo tomemos como
un trabajo. No lo es. El paseo tiene que ser un placer para todos.
Lástima no haberle puesto motor al carrito. Hubiéramos podido
colgarnos.

LORENZO Y LOS VIEJOS—*(Mueven negativamente la cabeza, cada vez
más amables.)* ¡No importa, no importa, no importa!

EL GANGOSO—Algún día tendremos nuestro equipo, también
nosotros. Carecemos de todo, pero aguantamos. Primero están las
madres, están los huérfanos, están los...

*(Mientras habla los va empujando; Lorenzo se ha apoderado casi por
fuerza de la empuñadura del carrito que el segundo de los viejos pretendía
arrebatarle y encabeza la fila. Salen.)*

CUADRO VII

*(Un campo pelado. Los dos policías están sentados sobre el pasto con las
piernas cruzadas. Respiran honda y alternadamente, con placer. El
Gangoso huele una flor con delectación. Los tres hombres están respetuo-
samente de pie, detrás de ellos; bostezan, se rascan la cabeza. Lorenzo
empuña la pala y cava. En un extremo, el carrito. Un silencio.)*

EL VIEJO—*(Tímidamente.)* Había una vaca en el camino. ¿La
vieron? *(Nadie le presta atención. Otro silencio.)*
VIEJO 2º—*(Se acerca a Lorenzo, le toca el hombro con un dedo.
Lorenzo se vuelve. El Viejo, señalando la pala. Con timidez.)* ¿Me
permite? Me gustaría... dar unas paladas. Hacer un poco de ejercicio
al aire libre. Vivo en un departamento, soy jubilado de oficina.
(Ansioso.) Es una buena oportunidad, ¿sabe?
LORENZO—*(Lo mira toscamente.)* La pala me la tiraron a mí. Soy el
más capacitado para el trabajo, el más fuerte. Lo siento. *(Le da la
espalda y sigue cavando. El Viejo queda inmóvil, ansioso, sin creer por
completo en su fracaso.)*

EL VIEJO—En el camino, había una vaca. Corrió el agua en la alcantarilla y me trajo novedades. *(Nadie le presta la mínima atención.)* El viaje me sirvió de algo. Nunca había visto una vaca, tan cerca. *(Llevándose el dorso de la mano a la mejilla.)* Hubiera querido... *(tímidamente)*, tocarla. Descansar. Tienen la piel sedosa, caliente. Y parecía buena... Una buena vaca parecía...

(Un silencio.)

VIEJO 2º—*(Vuelve a llamar a Lorenzo, tímida y ansiosamente.)* Permítame... *(Tiende la mano y Lorenzo, de mal modo, abandona la pala. El Viejo con una gran sonrisa, la toma y apenas si alcanza a dar torpemente dos paladas, cuando ya Lorenzo se la arranca de las manos.)*

LORENZO—No sabe. *(Cava. Mortificado, el Viejo permanece a sus espaldas.)*

EL VIEJO—*(Absorto.)* No me atreví. No me atreví a tocar la piel. Me quedé con el deseo. *(Desesperanzado.)* ¿Para qué destapé la alcantarilla? A mi edad... quedarse con un deseo. No me atreví...

LORENZO—*(Deja de cavar. Alto.)* Ya está.

EL SONRIENTE—*(Se levanta.)* ¿Ya está? ¡Muy bien!

(Los dos policías se acercan al carrito y tiran de las puntas del género. Ignacio cae al suelo. Lorenzo se acerca rápidamente. Mira y se demuda. Pero disimula en seguida y se excede.)

LORENZO—*(Tocándolo con el pie.)* ¿Quién es éste? Aunque yo no lo conozco. *(Apresurado.)* Ni me importa. Cada cual tiene el destino que merece. Éste... éste habrá hecho sus buenas cretinadas.

EL MUCHACHO—*(Dulcemente.)* ¿Por qué afirma eso? ¿Qué sabe?

LORENZO—¿Y usted para qué se mete?

EL SONRIENTE—*(Afable.)* ¡Muchachos, no discutan! Terminen pronto el trabajo, mejor para todos. Oscurece. Me gusta ver a los chicos antes de que se duerman.

LORENZO—*(Riendo temblorosamente, nervioso.)* ¡Como a mí! *(El Viejo 2º se apura a empujar a Ignacio al hoyo, arrebata la pala, aprovechando la distracción de Lorenzo y, muy feliz, consigue dar unas paladas, pero Lorenzo lo ve, le hace una zancadilla y lo arroja al suelo. Se apodera de la pala y la maneja con rapidez. Apisona la tierra con fuertes golpes dados de plano con la pala. El viejo se aparta, vejado. Lorenzo, a los policías con una sonrisa de servilismo.)* ¡Listo! Trabajo cumplido. Fue un placer. *(Ve el género en el suelo, lo dobla en cuatro y lo entrega a los policías.)*

LOS POLICÍAS—¡Gracias a todos!

LORENZO—*(Decepcionado.)* ¿Cómo gracias a todos? Yo trabajé más. Son testigos.

LOS POLICÍAS—*(Sin escucharlo.)* ¡Hasta pronto, muchachos! ¡Gracias otra vez! ¡Hasta pronto! *(Se van, llevándose la pala y el carrito. Un silencio.)*

VIEJO 2º—*(Pesaroso y agraviado.)* Sólo quería hacer un poco de ejercicio. No tendré otra oportunidad. ¿Por qué no me dejó?

LORENZO—Cállese. Usted no sirve para nada.

EL VIEJO—La vaca tenía la piel lustrosa y caliente, me quedé con el deseo... *(Moviendo gentilmente la cabeza.)* Buenas tardes, señores. Gracias por la compañía. *(Da dos pasos hacia la salida y se para, nostálgico.)* Quizás la vuelva a encontrar, de regreso. Pero no será lo mismo. Me quedé con el deseo... me quedé... *(Vuelve a caminar y sale, mientras dice.)* Ojalá que se tape la alcantarilla. Podré olvidar.

VIEJO 2º—*(Al Viejo.)* ¡Espéreme! ¡Volvamos juntos! *(Se vuelve indignado hacia Lorenzo.)* ¡Su padre! ¡Cuéntele a su padre lo que me ha hecho! Verá. Ofender a un viejo... *(Sale.)*

LORENZO—*(Furioso.)* Termínela, inútil. No tengo padre. Ya debiera estar enterrado. ¡Muérase! *(Se vuelve hacia el joven que ha permanecido de espaldas al público, de pie, junto a la tumba. Alterado.)* Y usted, ¿qué hace?

EL MUCHACHO—¿Lo conocía?

LORENZO—¿A quién?

EL MUCHACHO—*(Señalando la tumba.)* A éste.

LORENZO—*(Agresivo.)* No. A su abuela tampoco la conozco.

EL MUCHACHO—Pensé... que usted lo conocía. Tenía los ojos abiertos, grises.

LORENZO—Los hubiera cerrado. *(Ríe angustiosamente.)* Se le habrán llenado de tierra.

EL MUCHACHO—*(Se vuelve otra vez de espaldas.)* Cállese...

LORENZO—¡Cállese usted! ¡Metido! ¡Porquería! ¿Por qué no se va? *(Entrelaza los dedos de las manos, salta sobre el otro y, martillando con las manos unidas, lo golpea violentamente entre los hombros.)* ¡Váyase, váyase, le digo! *(El muchacho se aleja inclinado, con la cabeza oculta entre los hombros para protegerse de los golpes, y sale, trastabillando. Lorenzo.)* ¡Va a tirarme de la lengua a mí! ¿Quién lo conoce? ¿Qué sé yo si tenía ojos grises? Vaya a comprometer a... a... a... *(A falta de otra palabra, estalla.)* ¡A su abuela! *(Vuelve y se sienta de frente al público, al lado de la tumba. Todavía furioso.)* ¿Escuchaste, Ignacio? ¡Quería comprometerme! *(Un silencio. Llama, desconfiado, probando.)*

Ignacio... ¡Ignacio! *(Espera.)* ¡Bah! No te llamo más. Probaba. Contigo, no se puede estar seguro. Peores sorpresas me has dado en vida. Y ahora, de muerto, me jorobas. ¿Qué ganas tienes de estar muerto? ¿Eh? ¿Para qué? ¡Para jorobarme! *(Sin moverse.)* Me voy. Son veinte cuadras hasta casa, hasta «mi» casa. Quedó todo para mí, las paredes, las puertas, el techo. Me quedó todo para mí, incluso lo que más me molestaba, tu... risa. *(Con humildad, como disculpándose.)* Yo quería tu risa, Ignacio. Y quería... tu paciencia... ¡Qué aguante! De verdad, ¿nacimos juntos, eras mi hermano? *(Ríe, pero cesa en seguida.)* Me molestaba también... lo que pensabas. *(Enojado.)* ¿Por qué pensabas que yo era tu hermano? No dejaste un minuto de pensarlo, me daba cuenta. No podíamos vivir en el mismo cuarto, compartir nada. Yo no quería compartir nada, ¡idiota! *(Un silencio. Sin moverse.)* Me voy. A ver si tengo tu sonrisa. *(Sonríe con una sonrisa horrible, forzada, sólo de dientes. Sonriendo.)* Sí, sí. Es la tuya, lo siento. Me voy. *(Un silencio. Sigue sentado, inmóvil, poco a poco desaparece la sonrisa. Se arrebuja en el saco.)* Qué frío. Me voy, ahora sí, me voy. *(Se queda inmóvil, un silencio. Tímida, desoladamente.)* Ignacio, Ignacio... *(Se dobla en una pose semejante a la de Ignacio en el carrito, la cabeza sobre las rodillas. Un gran silencio.)*

T E L Ó N

Agosto 1965.

EGON WOLFF
(STGO. DE CHILE, 1926)

Egon Wolff, debido al interés provocado por dos obras fundamentales, *Los invasores* (1963) y *Flores de papel* (1970), está considerado hoy uno de los dramaturgos más destacados del teatro chileno e hispanoamericano. Nacido en Santiago de Chile en 1926 en una familia de inmigrantes alemanes, su juventud está marcada por la tuberculosis, lo cual le da tiempo para leer literatura clásica. Su madre era pariente del famoso August Strindberg, lo cual le dio acceso al idioma sueco y a una orientación teatral. A pesar del énfasis científico en su educación, desde muy joven muestra interés en las humanidades. Se recibe de ingeniero químico de la Universidad Católica de Chile, y se dedica a una carrera de fabricación y venta de productos químicos. Paralelamente desarrolló una carrera dramática, formando parte de la llamada «Generación del 50» que se vio preocupada por los temas sociales y políticos, las injusticias y la decadencia de las clases sociales con responsabilidades cívicas.

Las primeras piezas dramáticas de Wolff, entre ellas *Niñamadre* (1960) y *Discípulos del miedo*, lo establecieron como autor de dramas psicológicos enfocados en el conflicto generacional y otros problemas sociales comunes, no sólo en Chile sino también con frecuencia en otros países hispanoamericanos. *Discípulos...*, por ejemplo, es la historia de una mujer cuya ambición social y económica es tal, que influye de manera destructiva en el bienestar de su familia. *Niñamadre*, en cambio, trata el problema del machismo en Latinoamérica, particularmente entre las clases bajas. Y *Mansión de lechuzas* (1966), siguiendo la misma pauta, presenta el caso de una señora que daña psicológicamente a sus hijos, tratando obsesivamente de protegerles de ciertos cambios y avances sociales que ella considera nefastos.

Los invasores es, según opinión casi unánime de la crítica, una de sus piezas más importantes. Al elaborar la estructura de esta obra, Wolff se valió de ciertos elementos surrealistas o fantásticos, uniéndolos con elementos del teatro social tradicional para presentar un mensaje bien claro: si no se le busca remedio a la gran injusticia social que existe en Latinoamérica, habrá una revolución o rebelión de los pobres contra el sistema político establecido.

En obras posteriores hay un sondeo cada vez más profundo en la psicología de los personajes, y en la manera que se relacionan unos con otros. Para lograr esta mayor penetración, Wolff reduce el número de personajes y concede menos importancia al aspecto social y ambiental, tan significativo en toda su producción anterior. *Flores de papel* (1970), la pieza incluida en esta antología, pertenece a la categoría de obras en las que se encuentran a dos personajes encerrados en un espacio limitado. *El signo de Caín* (1971) tiene cuatro personajes, y trata de una riña acerca de la condición social y conyugal de uno de ellos. En *Kindergarten* (1977), obra influida por el teatro ritualista y del absurdo, hay tres hermanos viejos —dos hombres y una mujer— que viven juntos y que se apoyan psicológicamente por medio de juegos domésticos familiares. En esta historia triste de una familia venida a menos, se destacan signos de su sexualidad anormal, reprimida o exagerada, que los deja atormentados y sufriendo un infierno vivo. En 1978 Wolff estrena *Espejismos*, una obra moralizante en la que sigue explorando, como en la anterior, el significado del sexo y del amor. Una vez más se aborda la cuestión del desarrollo psicológico y la creación de relaciones estables y maduras, en contraste con las fantasías de una aventura ilícita pero emocionante.

También de 1978 es *El sobre azul*, una pieza totalmente diferente que enfoca los problemas de la sociedad industrializada donde los obreros no cumplen con sus tareas indicadas. Valiéndose de técnicas farsescas, Wolff presenta en miniatura los problemas que agobian a la sociedad —falta de seguridad, responsabilidad y confianza. Igualmente incapacitados son los administradores que amenazan a los obreros con «el sobre azul», o sea, el símbolo del despido laboral. *José* (1980) también examina los valores actuales en Chile, por medio del hijo de una familia que regresa después de una estadía en Estados Unidos, símbolo de la corrupción. Resulta, sin embargo, que no es el hijo sino aquéllos que se quedaron, los que exhiben todas las características negativas de ostentación, de una sociedad fría y calculadora en la que escasean la emoción, la ternura y el amor. El concepto de «valores de familia» es muy fuerte en Wolff. *Álamos en la azotea* (1981) indaga en cuestiones de familia, esta vez considerando los esfuerzos de los hijos de reunir a sus padres después de 13 años de separación. La diferencia más notable de esta pieza es el humor lingüístico y situacional, no tan frecuente en la dramaturgia de Wolff, pero que aquí es un elemento que subraya su insistencia en la necesidad del amor en las relaciones humanas.

En 1984 Wolff estrena *La balsa de la Medusa*, obra que viene formando parte de su llamada trilogía, junto con *Los invasores* y *Flores de papel*. Mediante la metáfora de la invasión de un espacio afiliado con la burguesía, la obra investiga el comportamiento humano bajo condiciones de estrés, cuando los invitados a una mansión aislada se

sienten atrapados y comienzan a exhibir actitudes deshumanizadas.
Con resonancias de la famosa pintura del siglo diecinueve de Géricault
en el Museo du Louvre, esta pieza muestra, una vez más, la falta de
amor humano que caracteriza las relaciones interpersonales, especialmente durante momentos de máxima tensión. Es una obra con ricas
perspectivas donde se ve un microcosmos de una sociedad poblada de
autoridades invisibles que manipulan la adversidad para producir el
efecto deseado sobre los súbditos.

Después de *La balsa de la Medusa* Wolff ha sido menos prolífico.
En 1986 estrena *Háblame de Laura*, extraña obra en tres escenas que
investiga la relación posiblemente edípica entre madre e hijo. Estos
viven desamparados de la sociedad en un mundo poblado de fantasías
y sueños por escapar de la realidad. Todo lo feo de su ambiente realista
contrasta con lo bello de sus ilusiones en una pieza construida con
juegos abusivos llenos de humor negro. En su pieza *Invitación a comer*
(1993) comenta los valores verdaderos de la vida y las relaciones entre
parejas dentro del ambiente de una cena de negocios en casa, a través
de la cual se ponen al descubierto los aspectos sórdidos del mundo
comercial. En 1994, la pieza *Cicatrices* enfoca relaciones entre cuatro
personajes cuyo comportamiento parece copiar la trama de una novela
escrita por uno de ellos. El funeral de la joven y atractiva Beatriz en la
escena inicial abre el marco para desarrollar la intriga en una relación
sórdida y compleja de parejas mal combinadas —los roles entre
víctimas y victimarios se complican por medio de cuestiones de
culpabilidad, frustración, perdón y angustia emocional. La obra
presenta una mezcla explosiva de «liaisons dangereux» dentro de una
comedia aparentemente inocente.

Flores de papel, aunque también influida por el teatro ritualista
estilo Pinter, Genet y otros, es, en ciertos aspectos, una recreación o
destilación de *Los invasores*. Ambas obras presentan un encuentro
conflictivo entre dos clases sociales antagónicas; pero en *Los invasores*
hay seis personajes importantes y otros menores mientras que en *Flores
de papel* hay sólo dos. Una diferencia notable entre las dos obras es que
en *Los invasores* la complejidad dramática radica, en gran parte, en el
marco onírico y los elementos fantásticos posibles dentro de este
marco, mientras que en *Flores de papel* lo más importante es el estudio
psicológico de los dos personajes: una mujer de la clase media llamada
Eva que tiene cuarenta años, y un hombre, «El Merluza», de treinta
años y de la clase baja. El conflicto (por lo menos en el nivel realista)
en *Los invasores* tiene un origen netamente socio-económico y político
mientras que en *Flores de papel* la causa parece ser personal; es decir,

resulta de la necesidad de compañerismo masculino que siente Eva y del odio que siente «El Merluza» por ella o todo lo que ella representa. La acción de este drama se desarrolla en un solo cuarto, y el incesante asalto psicológico llevado a cabo por él junto con la degradación voluntaria por parte de ella, crea un creciente nivel de tensión que culmina en la destrucción física del lugar y en la destrucción psicológica de Eva.

Muchas obras de Wolff revelan situaciones interpersonales donde los personajes se encuentran atrapados en relaciones interdependientes de amor/odio, de gran dolor, y llevan a la destrucción psicológica o incluso a la muerte. De las características sobresalientes de su teatro, el manejo de la psicología es clave, así como la estructura dramática que crea una tensión a veces casi inaguantable. Es notorio el uso de objetos con significados simbólicos, como el cristal, las flores de papel y el canario. Un «pater familias», Egon Wolff es un ser muy apegado a la tradición familiar. Su propia ética del trabajo duro, la dedicación a la familia y la responsabilidad social, el rechazo a la vida bohemia, son las características que le han motivado a crear sus personajes y sus situaciones dramáticas en piezas mundialmente reconocidas por su calidad. En 1984 Wolff fue elegido miembro de la Academia de la Lengua en Chile, y es actualmente profesor de teatro en la Universidad Católica de Santiago.

Leon Lyday
The Pennsylvania State University

George Woodyard
University of Kansas

EGON WOLFF

FLORES DE PAPEL

«*Hablábamos los dos una lengua diferente y, aun así, hablábamos en una misma morada*».
Zarathustra

«*Hay en el hombre un corazón de las tinieblas*».
J. Conrad

PERSONAJES

Eva
«El Merluza»

ESCENA I

*(«Living» de pequeño apartamento suburbano, arreglado con esmero, con
mano femenina. Confortable, íntimo. Dos puertas, además de la de la
entrada. Una, al dormitorio; la otra, a la cocina. Una ventana. En una
jaula, un canario. En algún lugar, un caballete con un lienzo a medio
pintar; caja de óleos. En otro, figuras hechas de paja: peces, cabezas de
animales, gallos, etcétera.)*

*(La escena está vacía. Luego entran Eva y «El Merluza». Eva,
cuarenta, bien vestida, con medida elegancia. «El Merluza», treinta,
zarrapastroso, sucio, despeinado, flaco, pálido. Eva, que abre la puerta,
entra resueltamente. Va hacia la cocina. «El Merluza» queda en la puerta.
Trae dos grandes bolsas de papel. Tirita con todo el cuerpo. Mira la
habitación con tímida curiosidad.)*

EVA—*(Volviendo de la cocina.)* Bueno, pase. ¡Pase! ¡Déjelas ahí, en
la cocina! *(«El Merluza» entra con respetuosa cautela, sin dejar de mirar
los objetos. Deja las bolsas en el suelo, en medio de la habitación.)* ¡Ahí,
no! *(Muestra la cocina.)* En la cocina. ¡Al lado del horno, por favor!
*(«El Merluza» hace como le dicen. Vuelve a salir sin las bolsas. Eva ha
entrado en el dormitorio. Sale peinándose con una escobilla. Saca un
billete de su cartera, que ha dejado sobre una mesita, y se lo pasa.)* Aquí
tiene, y... muchas gracias. *(«El Merluza» no toma el billete que le
pasan.)* Tome. ¡No me va a decir que me trajo los paquetes por nada!
(«El Merluza» la mira fijo.) Bueno. Entonces... muchas gracias. Ha sido
muy amable. *(«El Merluza» no le quita la vista.)* Muy amable. No tenía
por qué hacerlo. Muchas gracias.

«EL MERLUZA»—*(Con voz impersonal, dolida.)* Preferiría que me
diera una taza... de té.

EVA—*(Un poco sorprendida.)* ¿Té?

«EL MERLUZA»—Usted tiene, ¿no es cierto?

EVA—Sí, tengo, pero... no tengo tiempo. Tengo que prepararme
el almuerzo y volver a salir muy luego. *(Vuelve a ofrecerle el billete.)*
Con esto puede servirse una taza en cualquier parte. En la esquina hay
una fuente de sodas.

«EL MERLUZA»—Cualquier parte no sería lo mismo.

EVA—*(Interesada; entretenida.)* ¿Ah, no? ¿Y por qué?

«EL MERLUZA»—No sería lo mismo.

(La mira fijo siempre.)

EVA—Bueno... pero no tengo tiempo, ya le dije. Tome y váyase, que tengo que hacer.

«EL MERLUZA»—Me están esperando abajo.

EVA—¿Quién lo está esperando?

«EL MERLUZA»—El Miguel y «Pajarito».

EVA—¿Los dos que nos venían siguiendo? *(«El Merluza» asiente.)* ¿Y qué quieren? ¿Para qué lo están esperando?

«EL MERLUZA»—Para «pincharme».

EVA—¿Y qué quiere que haga yo? ¿De modo que ésa es la razón de querer traerme los paquetes, eh? Viniendo conmigo no podían cargar contra usted, ¿eh? Hacerle nada. *(Molesta.)* Tome, y no me moleste más. ¡Tengo que hacer!

«EL MERLUZA»—Van a matarme.

EVA—Ese es asunto suyo. ¡No me moleste más, le digo! ¡Váyase!

«EL MERLUZA»—Nunca creí que sería tan dura. No tiene cara.

EVA—Bueno se equivocó; entonces...

«EL MERLUZA»—Desde que la vi el año pasado pintando esas flores en el jardín Botánico, pensé que usted era distinta.

(Pausa.)

EVA—¿Jardín Botánico? ¿Usted me vio?

«EL MERLUZA»—Estaba detrás de la jaula de los loros, pintando unas matas de laureles. *(La mira fijamente.)* Tenía puesto un sombrero de paja clara, con una cinta verde... Y un pañuelo, con unas vistas de Venecia.

EVA—Es buen observador, ¿eh?

«EL MERLUZA»—Observo ciertas cosas.

EVA—De modo que su oferta de hoy de llevarme los paquetes... *(Turbada.)* ¿Qué me dijo que quería? ¿Qué me pedía? Apuesto que no ha comido hoy día...

«EL MERLUZA»—Una taza de té.

EVA—¿No quiere mejor un plato de sopa?

«EL MERLUZA»—Lo que quiera darme.

EVA—Tengo una sopa de anoche. ¿Se la caliento?

«EL MERLUZA»—Como usted quiera.

EVA—Bien, siéntese mientras yo trabajo. *(Entra en la cocina. Se oye cómo se afana con las ollas. «El Merluza», en tanto, queda parado donde está. No se mueve un milímetro. Eva vuelve a salir después de un rato.)* ¡Siéntese! No va a estar parado ahí todo el día.

«EL MERLUZA»—No con esta ropa.

Eva—No creo que a los muebles les importe. *(«El Merluza» saca un diario del bolsillo interior de su vestón y lo desdobla cuidadosamente, minuciosamente, y lo pone sobre uno de los sillones. Se sienta sobre él. Eva ve el gesto y se sonríe. Atranca la puerta de la cocina con una silla, para que no se cierre y poder hablar a través de ella. Desde la cocina.)* ¿Va mucho al Jardín Botánico?

«El Merluza»—A veces.

Eva—¿A ver las flores?

«El Merluza»—No. A darles maní a los monos.

Eva—¿Le gustan los monos? *(«El Merluza» se encoge de hombros.)* Yo los encuentro sucios... groseros... ¡No los resisto! Verlos ahí, sacándose los piojos ante todo el mundo. ¡No los soporto!

«El Merluza»—Hacen lo que pueden.

Eva—¿Y tiene tiempo para eso?

«El Merluza»—¿Para qué?

Eva—¡Ir al Jardín!

«El Merluza»—Me las arreglo.

Eva—¡Yo quisiera tener más! *(En ese momento «El Merluza» cae bajo el efecto de calambres que no puede controlar. Recorren todo su cuerpo. Distorsionan su cara. Tiene que aferrarse de la mesa para poder mantenerse en posición. Le preocupa que Eva no lo vea en ese estado. Vuelve su espalda hacia la puerta de la cocina y aprieta sus brazos entre las piernas. Eva ha visto; sin embargo, finalmente logra dominarlos.)* ¿Y cómo le va ahí, en el supermercado? ¿Clientela... encuentra?

«El Merluza»—Siempre hay alguien que le pesan los paquetes.

(Eva sale de la cocina con un plato servido con sopa y servicio para él y para ella. Pone todo sobre la mesita. «El Merluza» se levanta en el acto.)

Eva—No está muy caliente, pero supuse que le gustaría más así... ¡Siéntese!

«El Merluza»—Está bien así...

Eva—Siéntese. ¡Sírvase! *(«El Merluza» toma el plato y comienza a cucharear de pie.)* ¡Pero, siéntese, por Dios, hombre! *(Retorna a la cocina y vuelve a salir con un huevo duro y un tomate y un vaso de leche, los pone sobre la mesa.)* No me voy a servir si usted sigue ahí, de pie.

«El Merluza»—Es bastante... consideración la suya de convidarme con esto, para que me tome la confianza de sentarme junto a usted... donde no me corresponde.

Eva—*(Francamente.)* ¿Si yo le digo que no me importa?

«EL MERLUZA»—Creí que lo decía por parecer... natural. *(Se sienta.)* No está bien abusar de esas cosas. *(Indicando el plato.)* ¿Es por la «línea»?

EVA—*(Riendo.)* Sí. ¡Por la línea! Si no fuera por esto, estaría como un globo. Tengo una terrible tendencia a engordar. Como un pan y engordo un kilo.

«EL MERLUZA»—Es una lástima.

EVA—Sí. Y una molestia.

«EL MERLUZA»—Es al revés del Mario.

EVA—¿Y quién es «el Mario»?

«EL MERLUZA»—Un amigo. Cada vez que come un pan enflaquece medio kilo. Ya está en los huesos. De porfiado le viene. Los doctores le dicen que debe comer más, pero él es porfiado. *(La mira a los ojos, con mirada inexpresiva, concentrada.)* No debería hacer eso.

EVA—¿Qué cosa?

«EL MERLUZA»—Comer tan poco. No le vaya a hacer mal. No se vaya a morir.

EVA—¿Le importa? ¿Le importa a alguien?

«EL MERLUZA»—A mí me importa.

(Siguen comiendo un instante en silencio, cada uno pendiente de su plato. «El Merluza» cucharea, pero no le quita los ojos de encima. Después de un rato, Eva se levanta nerviosamente.)

EVA—*(Medio en risa.)* De modo que es eso en lo que mata el tiempo, ¿eh? En ir al Botánico a ver cómo una vieja solterona mata su tiempo, pintando laureles en flor, ¿eh? *(Va hacia la cocina. Vuelve con sal y una servilleta.)* Porque es lo que parezco, ¿no es cierto? ¡Una solterona! Que mata su tiempo. *(«El Merluza» la mira; no responde.)* ¡A ver, diga! ¿Qué cree que soy?

«EL MERLUZA»—Una mujer.

EVA—¡No, no! Lo que digo es: ¿soltera o casada?

«EL MERLUZA»—Casada.

EVA—*(Con coqueta curiosidad.)* ¿Por qué?

«EL MERLUZA»—Por la manera como cruza las piernas.

(Eva ríe.)

EVA—¡Ah, qué divertido! ¿Y por qué? ¿Cómo cruzan las piernas las solteras?

«EL MERLUZA»—*(Inexpresivo.)* No las cruzan.

(Eva ríe nerviosamente.)

EVA—¡Qué divertido es usted! *(Siempre medio en risa.)* Diga...
¿siempre mira tan fijo a la gente? *(«El Merluza» baja inmediatamente
la mirada sobre su plato. Enternecida, estimulada.)* Bueno, acertó. Soy
casada. ¿No le preocupa eso? ¿Que, de repente, entre el marido y me
encuentre aquí, con usted?

«EL MERLUZA»—*(Por lo bajo.)* ¿Qué podría pensar?

EVA—*(Siempre coqueteando.)* ¿Y por qué?

«EL MERLUZA»—No se divierta a costa de la pobreza.

*(Momento de embarazo. A «El Merluza» le sobreviene otro acceso de
temblores que apenas logra reprimir.)*

EVA—*(No sabe qué hacer.)* Coma, hombre. No ha comido nada.
(«El Merluza» hace un gesto de que no importa.) ¿El trago? ¿Es eso?
(Pausa.) ¿Necesita un trago para calmar eso? *(«El Merluza» hace un
gesto vago. Eva va hacia la cocina y vuelve con un vaso con vino, que «El
Merluza» le arrebata de las manos y lo bebe ávidamente. Eso termina por
calmarle.)* ¿Casi, eh?

«EL MERLUZA»—¿Casi qué?

EVA—Bueno... casi. No quise ofenderlo. No me estaba divirtiendo
a costa suya; es que me parece tan... bueno, tan raro, que usted me
recuerde. Entre tantas otras... Hay otra gente que pinta en el jardín...
Por ejemplo, ese viejo del sombrero de diablo fuerte azul... ¿Lo ha
visto?... El que llega con su pisito de mimbre, por las tardes... A veces
con un perro; otras sin él... *(Ríe.)* Un día se enojó conmigo por la
forma como uso los tonos verdes... Casi me gritó que no era académi-
co. Nunca supe lo que quería decir con eso. Daba vueltas alrededor
mío, agitando su bastón. ¡Creí que me iba a botar el caballete!
(Durante todo ese monólogo, «El Merluza» está doblado sobre sí mismo.)
¿Le duele algo?

«EL MERLUZA»—No.

EVA—Y entonces... ¿qué le pasa?

«EL MERLUZA»—Después del baile siempre se me encoge el
estómago.

EVA—Tengo calmantes, ¿quiere?

«EL MERLUZA»—No, gracias.

EVA—¿Y tiene que beber? *(«El Merluza» la mira.)* Digo... esto de
los temblores le viene por eso, ¿no es cierto? *(No hay respuesta.
Momento de embarazo. Eva va hacia la cocina.)* Bueno, mejor se apura
porque luego tengo que salir. Abro la tienda a las dos. *(«El Merluza»
reanuda el lento cuchareo. Eva retorna con dos duraznos pelados. Pone
uno ante «El Merluza». Come el suyo.)* Estos duraznos no tienen el sabor de antes. No sé qué les hacen ahora. Recuerdo cuando niña.

Íbamos con papá y mamá a una quinta, cerca del río, donde, por un precio insignificante, nos dejaban entrar al huerto a llenarnos con duraznos y frutillas. Lo que fuéramos capaces de echarnos al estómago. ¡Esos duraznos sí que tenían sabor! Hoy exportan los mejores y nos dejan la basura. Recuerdo que mientras papá y mamá se sentaban a comer alrededor de las mesas que habían puesto bajo unos árboles, Alfredo y yo... Alfredo es mi hermano... Nos íbamos a jugar a un granero que había cerca. A montarnos sobre la enfardadora. ¡Mi hermano Alfredo! Tenía verdadera obsesión por los hechos heroicos. Recuerdo que enarbolaba un pañuelo a modo de bandera y jugábamos a la toma del bergantín. *(Ríe.)* ¡Él era el glorioso capitán y yo el malvado corsario! ¡Oh, qué tiempos! ¡Qué tontos, pero qué felices éramos!

«EL MERLUZA»—Si usted me echa afuera, el Miguel y el «Pajarito» me van a matar.

EVA—¿Y qué quiere que haga? ¿Dejarlo aquí?

«EL MERLUZA»—Me están esperando a la vuelta de la esquina, detrás de la farmacia.

(Eva va hacia la ventana y mira, levantando apenas la cortina.)

EVA—¡Ahí están! ¡Están mirando hacia acá! *(Se vuelve hacia él.)* Bueno... ¿y qué hacemos? ¡No puedo dejarlo aquí! *(Haciéndose fuerte.)* Tengo que ir a la tienda, luego. Ya le dije.

(«El Merluza» explota súbitamente en un borboteo agitado, atropellado de palabras. El tono es monocorde, lastimero, casi una letanía. Al final, cae bajo un nuevo acceso de temblores.)

«EL MERLUZA»—«El Pajarito» tiene un gancho de carnicero bajo el vestón. ¡Tiene un gancho de carnicero, y me ha estado esperando toda la mañana para matarme! ¡Todo porque anoche le gané unos pesos jugando a los dados y él dice que le hice trampas! Y no es verdad, porque se los gané limpiamente. ¡Jugando limpiamente! Llegó hasta la casa de la Julia a buscarme esta mañana, pero yo lo alcancé a ver cómo se escondía detrás del horno, y me vine arrancando por el río. ¡Toda la mañana estuve escondido detrás de los matorrales de la Curtiembre, hasta que me fui al supermercado, y si no es por usted, me mata! Si no es por usted que me esconde, me mata. ¡Si no es por usted que me esconde, me muero, y yo no quiero morir! ¡No quiero morir! ¡No quiero morir!

EVA–¡Ya está bien! ¡Está bien! Cálmese. Nadie le va a hacer nada. *(No sabe qué hacer.)* Puedo avisar a la policía si quiere. Para que detengan a esos hombres. *(«El Merluza» sacude la cabeza en señal de negativa.)* Ah, sí, es verdad. El código del honor, ¿eh? Ustedes no se denuncian. *(«El Merluza» está encogido sobre sí mismo. Tirita. Tras considerar un rato la situación.)* Tendré que encerrarlo aquí dentro. *(«El Merluza» la mira.)* Porque usted comprende, ¿no? Yo no lo conozco. Además de la chapa, hay un candado por fuera. Tendré que encerrarlo aquí dentro hasta que vuelva.

«EL MERLUZA»–Comprendo.

EVA–Cerraré también las demás piezas. Tendrá que esperarme aquí.

«EL MERLUZA»–Más que lógico.

EVA–Ahí tiene revistas. El diario de hoy...

«EL MERLUZA»–Gracias... *(Sonríe por primera vez con su sonrisa amplia, abierta, que no dice nada.)* Es como si todo hubiese estado como... preparado. Como... dispuesto. Los diarios, digo yo, y las revistas... No se puede pedir más, en verdad. Lo demás sería como... mal agradecido. Digo yo...

EVA–Sí.

(Eva retira los platos. Va hacia el baño y luego circula peinándose. «El Merluza» come un poco del durazno. Luego se levanta y va hacia la jaula del canario.)

«EL MERLUZA»–Bonito pajarito. ¿Cómo se llama?

EVA–«Pepito».

«EL MERLUZA»–¿«Pepito», eh? *(Le hace fiestas.)* ¡Ps, ps, ps, ps! *(Le da durazno.)* ¿Te gusta, eh? ¡Ps, ps, ps! ¿Te gusta comer frutillitas bajo los árboles, eh, glotoncito? *(Le da otro pedazo.)* ¡Aquí, toma!... ¡Eso es!... *(Eva cierra la puerta del baño. «El Merluza» queda solo.)* Tienes buena tragadera, ¿eh... mariconcito? *(Su voz va tomando un tono de dureza.)* ¿Sabías que yo soy el malvado capitán y tú el glorioso corsario? ¿No lo sabías, pelotudo? *(Sacude la jaula.)* ¿No lo sabías? ¿Que yo soy el malvado capitán y tú el glorioso corsario, pájaro maricón? *(Con voz herida.)* ¡Yo no te conozco! *(Sacude nuevamente la jaula.)* ¡Tendré que encerrarte aquí, porque no te conozco, pájaro hijo de puta!... ¡Tendré que ponerte candado!... *(Eva sale del baño. Lista para salir.)* ¡Ps, ps, ps, ps!... ¡Canarito!...

(Eva prende la radio.)

EVA–Le dejaré esto. Si quiere, cambia.

«EL MERLUZA»–Gracias. *(Eva va hacia la puerta.)* Señora...
EVA–*(Se vuelve.)* ¿Sí?
«EL MERLUZA»–Yo sabía. Las mil veces que la he visto, yo sabía que usted era lo que dicen sus ojos...
EVA–Vuelvo a las seis. *(Indica la cocina.)* Si quiere servirse algo...
    (Sale. Se oye fuera el ruido del cerrojo y de la cadena del candado. «El Merluza» sacude la jaula.)
«EL MERLUZA»–¡Come duraznitos!... ¡Come mierda!... ¡Corsario maricón!...
    (Está sacudiendo la jaula, cuando cae el

TELÓN

ESCENA II

(Esa tarde a las seis pasadas. «El Merluza» está haciendo una cesta de papel, a base de tiras de papel de diarios doblados. De la lámpara cuelga un ave de papel. Una especie de gaviota, sujeta de un hilo. En el suelo, un montón de diarios dispersos, desordenados. Entre ellos, de rodillas, «El Merluza». La radio toca un bailable. Fuera se oye un ruido de frenos de auto y una puerta de auto que se cierra. «El Merluza» acude a la ventana a ver, atisbando tras la cortina. Luego vuelve a su trabajo. Se oye la llave de la cerradura y la cadena del candado, y entra Eva, trae una bolsa de papel, de la que sobresale un cuello de botella.)

EVA–*(Nerviosa, pareciendo casual.)* ¿Ve? Las seis y tres minutos. ¡Ni un minuto más, ni un minuto menos! *(Cierra la puerta. Se encuentra con el ave.)* ¿Y eso? ¿Qué es? ¿Usted lo hizo?
«EL MERLUZA»–Nadie ha entrado aquí.
EVA–¡Qué precioso! Es todo un artista, ¿sabe?... ¿Una gaviota?
«EL MERLUZA»–¿Usted cree que es?
EVA–Sí, claro. ¡Una gaviota! ¡Preciosa!
«EL MERLUZA»–Entonces es.
EVA–*(Por la cesta.)* ¿Y eso? ¿Una cesta? *(«El Merluza» asiente.)* ¡Preciosa también! ¿De dónde aprendió ese arte?
«EL MERLUZA»–Es para usted.
EVA–¿Qué cosa? ¿La cesta?
«EL MERLUZA»–Todo.

EVA—¡Oh, gracias!...

«EL MERLUZA»—Siempre que no le moleste...

EVA—No, ¿cómo me va a molestar?...

«EL MERLUZA»—Los diarios, digo yo... Que tenga todos los diarios así, dispersos... Todo desordenado.

(Se Pone a reunir los diarios apresuradamente. Los dobla cuidadosamente.)

EVA—No, no me importa... *(Va hacia la cocina.)* ¿Pero dónde aprendió esto?...

«EL MERLUZA»—Por ahí. Trabajé un tiempo para un fulano que trabajaba el mimbre. Pero era un torpe. Sólo sabía hacer sillas. También sé hacer flores...

EVA—¿Flores?

«EL MERLUZA»—Camelias.

EVA—*(Desde la cocina.)* Pero, por Dios. ¡Y los platos! ¿Quién los lavó? *(«El Merluza» no responde. Eva sale de la cocina.)* No tenía por qué hacerlo. *(«El Merluza» se encoge de hombros.)* Apuesto que el piso también lo fregó. No estaba tan brillante cuando me fui.

«EL MERLUZA»—Había un tarro de cera por ahí, y pensé que no le vendría mal una manita de brillo.

EVA—*(Sonriendo.)* No me atrevo ni a entrar al dormitorio. Quizá, ¿qué me encuentro?

«EL MERLUZA»—Nada, pues. ¿Cómo voy a pasar ahí, sin permiso?

(Eva vuelve a la cocina y regresa con un salami y un queso y algunos paquetes de cigarrillos.)

EVA—Hablando de atenciones, no crea que yo me olvidé de usted. Pensé que las noches son frías, y que «un estómago lleno es el mejor amigo». Un poco de mortadela. Un poco de paté. Y queso. «Gruyére». Muy rico. Recomendado especialmente por la dueña de la tienda, que es amiga mía. *(«El Merluza» apenas mira lo que Eva le va mostrando. Ha terminado de reunir los diarios en un atado bien doblado y va a partir hacia la cocina con ellos. Se topa con Eva y se produce un breve juego de cuerpos que se obstruyen el paso.)* ¿Dónde va?

«EL MERLUZA»—*(Por los diarios.)* Los saqué de la cocina.

EVA—Deje. No importa.

«EL MERLUZA»—Se va a ver todo desordenado.

EVA—*(Un poco impaciente, nerviosa.)* No importa, le digo... *(Sonríe.)* Déjelos por ahí. *(Siempre con una sonrisa breve y nerviosa que le es peculiar, casi como riendo para sí.)* Cuando entré a la tienda lo hice tan como caballo desbocado, con la idea de comprarle esto, que... se me olvidó completamente inventar una... disculpa, porque la pregunta tenía que venir y vino. «¿Para quién compra todo esto, querida; no me va a decir que es todo para usted?» En un comienzo no supe qué decir. Tartamudeé un par de cosas tontas y finalmente, cuando ya me faltaba el resuello *(Ríe)*, se me ocurrió decir que eran para un picnic... ¡Un picnic con unos amigos!... ¡imagínese!... ¡Yo haciendo un picnic!... *(«El Merluza» nuevamente de rodillas en el suelo, dobla y plancha los atados de diarios con prolija atención.)* Por si le cuento la verdad... ¿Quién me hubiera creído, no le parece?

«EL MERLUZA»—Nadie.

EVA—Sí. Eso es lo que yo pensé también.

«EL MERLUZA»—En estos casos siempre se ofrece sólo un plato de sopa caliente. Eso *(Por los salames)* no se le ocurre a nadie. No es necesario.

EVA—*(Ríe nerviosamente.)* ¿A usted le gusta?

«EL MERLUZA»—¿Qué?

EVA—¿El salame? ¿El queso?

«EL MERLUZA»—Usted siempre pregunta dos cosas a la vez. Nunca sé cuál responder primero.

EVA—*(Confundida.)* ¿El salame?

«EL MERLUZA»—Se me revuelve el estómago...

EVA—¿No le gusta?

«EL MERLUZA»—No es eso. Debe ser donde el estómago no está acostumbrado. Donde uno le da sólo sopas de arroz y cosas así, se pone melindre. Una vez las monjitas del Convento del Carmen me dieron carne asada con callampas, y estuve vomitando dos días.

EVA—Debí haber pensado en eso. No debí comprarlo.

«EL MERLUZA»—*(La mira por primera vez, con esa mirada muy propia de él, que no dice nada.)* Cómaselo con sus amigos en el picnic.

EVA—¿Qué amigos? No tengo amigos.

«EL MERLUZA»—Malo para usted.

(Reanuda su trabajo.)

EVA—*(Vivaz.)* Bueno, creo que debo comenzar a prepararme la comida. *(Va hacia la cocina.)* Eso es mi vida. Comer y comer. Comida en la mañana. Comida a mediodía. Comida en la noche. A veces llego a pensar que la vida es sólo eso: una gran comida permanente, con una que otra pausa entre medias para el aburrimiento, y vamos comiendo otra vez... Y alegría también. ¡Naturalmente!... ¡Como un delgado espolvoreo de azúcar en polvo sobre todo el conjunto!... *(Mientras habla así, ha ido de la cocina al dormitorio, poniéndose y sacándose un chaleco de lana, poniéndose y sacándose unas pantuflas, abriendo y cerrando «closets», siempre con la mirada imperturbable de «El Merluza» sobre ella.)* ¿Que tonterías hace una, no?... ¡Abrir y cerrar «closets»!... ¡Poner y sacarse ropa!... ¡Si una sumara en el día las horas que pierde haciendo cosas sin asunto!... *(Va hacia la cocina, donde se la oye funcionar con las ollas. Cae un vaso. Un vidrio que se quiebra.)* ¡Ay! ¡Qué torpe soy!... ¡Qué me pasa hoy día! *(Sale de la cocina, envolviéndose su pañuelo alrededor de un dedo. Va hacia el dormitorio.)* ¡Me corté! ¡No pasa un día en que no tenga que recurrir a mi botiquín!...

(«El Merluza» se levanta.)

«EL MERLUZA»—¿La ayudo?

EVA—*(Desde el dormitorio.)* No, deje, no más. ¡Ya estoy acostumbrada, ya le digo! Tengo los dedos llenos de cicatrices. ¡Los litros de sangre que he botado! ¡Ni que lo hiciera a propósito! *(Sale del dormitorio.)* ¿Pero cómo va una a hacer una cosa así a propósito, no le parece? *(Le pasa una tijera y gasa.)* Corte aquí, ¿quiere?

(«El Merluza» corta la gasa con destreza.)

«EL MERLUZA»—Yodo... ¿tiene?

EVA—Sí. *(Va al dormitorio y regresa con una botellita de yodo que «El Merluza» también usa con agilidad y destreza. Le tiñe la herida con tintura, le coloca la gasa y lo afirma con esparadrapo. Eva observa sus movimientos. «El Merluza» ostensiblemente evita todo contacto físico con ella. La rehuye con prudente y delicada cautela. Eva, en cambio, no muestra la misma reticencia, más bien curiosa simpatía ante la timidez de él. Cuando termina, «El Merluza» comienza a temblar de nuevo. Se sienta. Aprieta sus brazos entre las rodillas en su gesto característico. Eva va hacia la cocina y vuelve con un vaso de vino. «El Merluza» bebe con avidez. Se calma. Tose.)* ¿Mejor? *(«El Merluza» asiente. Eva se mira el dedo vendado.)* Mejor no pudo quedar. ¿Dónde aprendió a hacer esto tan bien?

«EL MERLUZA»—Por ahí.

EVA—Parece que ha aprendido de todo un poco «por ahí», ¿eh? Lo único que no parece haber aprendido es a hablar... ¿Siempre es tan parco para hablar?

«EL MERLUZA»—Donde vivo no hay mucho interés por oír.

EVA—*(Con ironía.)* No crea que «donde yo vivo» lo hay más.

«EL MERLUZA»—Póngase el chaleco...

EVA—¿Cómo dice?

«EL MERLUZA»—El chaleco y las pantuflas...

EVA—¡Ah, eso! No, estoy bien así...

«EL MERLUZA»—Usted se los iba a poner...

EVA—Sí, pero estoy bien...

«EL MERLUZA»—Pero se los iba a poner...

EVA—Sí, pero... ahora ya no... ¡Y no me mire así! *(Ríe nerviosamente.)* ¡No me mire tanto! ¡Dios mío, qué mirón es! ¡Qué hombre tan mirón! ¿Siempre mira así, dígame? *(«El Merluza» baja la mirada.)* Es capaz de ponerla a una totalmente... *(Va hacia la cocina.)* A ver, pero yo quiero oír ese cuento. ¡A ver, dígame! ¿Dónde aprendió a usar tan bien esas manos suyas? En el manejo de gasas y esparadrapos, digo. *(Desde la cocina.)* ¡Da la impresión de que tiene una gran familiaridad con ellos!

«EL MERLUZA»—Aprendí con un sargento enfermero.

EVA—¿Estuvo en el ejército?

«EL MERLUZA»—En el hospital.

EVA—¿Enfermo?

«EL MERLUZA»—Algo así como eso.

EVA—¿Como qué? ¿Qué tuvo?

«EL MERLUZA»—No puedo hablar así... *(Eva sale de la cocina.)* No puedo hablar así... con usted en la cocina y yo aquí, gritando. No puedo hablar si no le veo la cara a la otra persona. Usted perdone, ¿no?... Pero creo que usted no se da suficiente... reposo.

EVA—*(Con picada curiosidad.)* ¿Por qué dice eso?

«EL MERLUZA»—Porque está siempre yendo de acá para allá... de arriba abajo... moviendo cosas... cambiando cosas de lugar... sin asunto aparente... Desde que entró aquí no ha parado de moverse... ¿Ha mirado, por ejemplo, la cesta que estoy haciendo?

EVA—La miré, sí...

«EL MERLUZA»—No, pero realmente... ¿mirarla?

EVA—Sí. La miré. Ya le dije...

«EL MERLUZA»—¿Pensar en ella?

EVA—Bueno...

«EL MERLUZA»—¿Le gusta?

EVA—Sí. Me gusta. Ya le dije.

«EL MERLUZA»—¿Por qué?

EVA—*(Desolada.)* Es sólo una… cesta.

«EL MERLUZA»—Es más que eso.

(Momento de embarazo.)

EVA—Sí. Tiene razón. Perdóneme… Ya le dije: soy una máquina… Creo que es por la clase de vida que tengo que llevar… «EL MERLUZA»—Podría enseñarla cómo hago las flores, por ejemplo… Flores de papel.

EVA—*(Más interesada de lo necesario.)* Sí. ¡A ver, enséñeme!

(Se encuclilla junto a él.)

«EL MERLUZA»—*(Toma una hoja de diario.)* Usted toma una hoja de diario, así, y la dobla desde la esquina, así, ¿ve? *(Lo hace.)* Y no es una hoja de papel corriente, como usted verá. Se toma una cara de la hoja que tenga mucho impreso en letras, o una gran fotografía, o gran cantidad de fotografías sin letra alguna, ¿ve? Como ésta. Para que la flor tenga algún sentido. Alguna continuidad. Alguna belleza. *(Mientras trabaja y habla, algo se va transfigurando en él. Algo que lo posee y que lo absorbe.)* Para algunos, el papel de diarios es simplemente eso. Una tira de papel despreciable que sólo sirve para envolver carne, tapar agujeros o taponar maletas. Pero no es eso. Los que piensan así, claro está, están marcados y uno los reconoce por otras superficialidades… El papel de diarios tiene un mundo de cosas que decir. Toma las formas que usted quiere darles. Se pliega sumisamente. Se deja manejar sin resistencias… Ocupa poco lugar en el bolsillo… Y es el fiel compañero de las noches de invierno. Acompaña… Tranquilamente… Calladamente… Siempre listo, está ahí, para cualquier uso. *(La flor está lista.)* Ya está… Una camelia, ¿ve?… *(Se la pone a Eva en un lado de la sien.)* Para adornar a las bellas…

EVA—¿Quién es usted?

«EL MERLUZA»—También sé hacer claveles y crisantemos, pero eso ya es cosa un poco más difícil, porque hay que tener tijeras, y tijeras no es una cosa que a uno dejan tener corrientemente… Menos aún en las noches de invierno, junto al río… *(Su excitación sigue aumentando.)* También sé hacer peces y mariposas de papel. Pero eso es mucho más difícil, porque cuando uno los tiene hechos, nadie los quiere… Porque los peces todo el mundo los desea en bonitas peceras iluminadas, y las mariposas ensartadas en cajitas de caoba, pero hechas de sucio papel de diario, que sólo sirve para taponar maletas, no. ¡Nadie quiere sucias mariposas de papel, sucias de carne, ensartadas en cajas de caoba iluminadas! ¡Ni nadie quiere ensuciarse las sienes ensartándose sucias flores de sucio papel! *(Termina jadeando.)* Al menos, es lo que dicen los burgueses... que son los árbitros de la moda... en todo... incluso en la manera de trabajar... el papel... de diarios...

(Tose. Breve pausa.)

EVA—¿Quién es usted?

«EL MERLUZA»—Me llaman «El Merluza».

EVA—Digo... su nombre.

«EL MERLUZA»—No sé. El nombre uno lo va perdiendo por ahí por las calles, caído en una grieta...

EVA—Pero algún nombre debe tener. No puedo llamarlo «Merluza».

«EL MERLUZA»—*(Con cara impávida.)* ¿Por qué no?

EVA—*(Confundida.)* Bueno... porque...

«EL MERLUZA»—*(Con la misma impavidez.)* Porque es nombre del hampa.

EVA—No es un nombre cristiano.

«EL MERLUZA»—Y usted no es del hampa...

EVA—*(Con cierto desafío.)* No, no lo soy, si quiere decirlo así. Entre mis amigos nos llamamos con nombres cristianos.

«EL MERLUZA»—¿Creí que me dijo que no tenía amigos?

EVA—Es una manera de decir.

«EL MERLUZA»—Debe ser, entonces, que entre nosotros, que no somos iguales, nos llamamos con nombres no cristianos. *(Sonríe apaciguadoramente.)* Mi madre me llama Roberto.

EVA—Eso es mejor. Lo llamaré Roberto, entonces.

«EL MERLUZA»—Beto.

EVA—¿Beto?

«EL MERLUZA»—Y cabrón. Cabrón antes de comer. Beto, después. Yo tenía dos madres. Una, antes de, y la otra, después de.

EVA—¿Murió?

«EL MERLUZA»—Algo así como eso.

(Eva se levanta y, con exagerada vivacidad, va hacia un mueble y saca una tijera y se la pasa.)

EVA—¡Bueno! Aquí no estamos a orillas del río: tenemos tijera. ¡Muéstreme cómo hace sus crisantemos! ¿Le importa que yo, mientras tanto, teja? Me comprometí a hacer un chaleco a una empleada de mi tienda.

«EL MERLUZA»—Es su casa.

(Eva se instala, con un tejido que trae del dormitorio, junto a él a mirar lo que hace. Su actitud es la de una persona que es muy íntima de alguien; que se siente a gusto; que quiere demostrar interés.)

EVA—¿A ver?

«EL MERLUZA»—*(Se levanta.)* Creo que es hora de que parta.

EVA—*(No había pensado en ello.)* Oh, sí. ¡Claro! Pero esos hombres, ¿no cree que aún corre peligro? *(Eva se levanta y va hacia la ventana.)* Ahí están. ¡Todavía lo están esperando!

«EL MERLUZA»—¿Y qué cree? ¿Que están jugando?

EVA—¿Pero, qué quieren? Usted no ha hecho más que ganarles un par de pesos a los dados. ¿Qué, no está permitido ganar entre ustedes?

«EL MERLUZA»—Está permitido. Pero se paga.

EVA—¡No entiendo! ¿Cómo pueden ser tan vengativos?

«EL MERLUZA»—De ver los perros cómo se pelean por la carne.

EVA—¿De manera que en cuanto salen del edificio lo asaltan?

«EL MERLUZA»—Sin que les tirite el pulso.

EVA—No puedo permitir que le hagan eso.

«EL MERLUZA»—¿Le enseño cómo hago crisantemos de papel?

EVA—Usted se queda aquí hasta que esos hombres desaparezcan.

(«El Merluza» comienza a tijeretear el papel. Lo va haciendo con furor creciente, contenido al comienzo.)

«EL MERLUZA»—Se toma una hoja de papel y se tijeretea desde las puntas, ¿ve? *(Lo hace.)* Se le da unos cortes largos, a lo largo de las líneas de imprenta, ¿ve? Hasta formar tiras de papel, lo más finas posible… lo más fluidas… hasta que toda la hoja de papel, que originalmente era un diario… no parezca más que un gran pedazo de papel hecho tiras… Como si un perro hubiera hecho presa de él… ¡O un cernícalo!… ¡O cualquier animal rabioso!… Como cuando en los microbuses alguien pasa con una *gillette* a lo largo de los asientos, y deja ahí su marca de estupor y de rabia… ¡O cuando en el hospital el sargento enfermero pone tintura de yodo en la espalda hecha tiras a latigazos!

EVA—Beto… *(«El Merluza» la mira.)* ¿Le importa que lo llame Beto? *(«El Merluza» la sigue mirando con ojos que no expresan nada.)*

¿Le parece bien... dormir aquí? ¿Esta noche? ¿En ese sillón? Le presto mantas... A mí no me importa.

«EL MERLUZA»—Pero usted me trajo salame y queso para que me fuera.

EVA—Ya no, Beto. No puede irse así.

«EL MERLUZA»—Si me quedo tendré que... bañarme, ¡naturalmente!

EVA—¿Le he dicho eso?

(«El Merluza» ríe y le busca la risa en la cara a Eva.)

«EL MERLUZA»—(Riendo.) No, no. ¡Dígalo! «¡Sería mejor que se bañara, Beto!»

EVA—Ya le he dicho: a mí me da lo mismo.

«EL MERLUZA»—(Siempre riendo.) No, no. ¡No le da lo mismo! A ver, dígalo. ¡Confiéselo! ¡Quiero oír cómo lo dice! «Sería mejor que se bañara, Beto, porque así, con esa ropa y esa mugre... ¿Mmh?» ¡A ver!...

EVA—Bueno, si insiste. «Sería mejor que se bañara, Beto».

«EL MERLUZA»—(Serio súbitamente.) Pero... yo no puedo usar su baño... ¿Cómo se me puede ocurrir una cosa así?

EVA—¡Úselo! ¿Le he dicho que no?

«EL MERLUZA»—No, naturalmente que no. En verdad, no me lo ha dicho. ¡Qué ideas las mías! ¿Cómo me lo iba a decir? (Súbitamente.) ¿Le enseño cómo hago crisantemos de papel?

EVA—Ya me mostró.

(Siempre sin quitarle los ojos de encima.)

«EL MERLUZA»—Pero usted no miró.

EVA—(Protesta.) Sí, yo...

«EL MERLUZA»—No, usted no quitó los ojos de encima de ese tejido.

EVA—Bueno, enséñeme...

(«El Merluza» toma otra hoja de papel y se pone a cortarla de igual manera que la anterior.)

«EL MERLUZA»—Se toma una hoja de papel y se tijeretea desde las puntas, ¿ve? Se le da unos cortes largos a lo largo de las líneas de imprenta, hasta formar tiras de papel lo más finas posibles... lo más fluidas... hasta que toda la hoja de papel que originalmente era un diario... no parezca más que un gran pedazo de papel hecho tiras... ¡Como si un perro hubiera hecho presa de él!... ¡O un cernícalo!... ¡O cualquier animal rabioso!... (Su voz se ha puesto tensa. Las palabras *salen apretadas de su boca.)* Como cuando en los microbuses alguien pasa una *gillette...*

TELÓN

Escena III

El día siguiente, muy de mañana.

(«El Merluza» ya se ha levantado. Se ve que se ha bañado y peinado. Su ropa está doblada sobre una silla. Junto a ella, sus zapatos. Se ha puesto una bata de Eva, que evidentemente le queda corta y estrecha. Se desplaza por la habitación haciendo aseo con un escobillón y un paño. Corre las cortinas. Pasa el paño a los muebles. Desde la cocina se oye el ruido de una tetera. Tararea una canción mientras barre. Entra el sol a raudales. Ya no están las figuras de paja. En cambio de ellas, cuelgan ahora de las paredes, y de hilos tendidos de muro a muro, algunas flores de papel y algunas mariposas. Después de un rato.)

EVA—*(Desde el dormitorio.)* ¡Buenos días!

«EL MERLUZA»—¡Buenos días!

EVA—¿Cómo durmió?

«EL MERLUZA»—¡Imposible mejor!

EVA—¿Levantado tan temprano?

«EL MERLUZA»—¡Está linda la mañana!

EVA—¿Qué está haciendo?

«EL MERLUZA»—¡Un poco de aseo!

EVA—¿Pero por qué?... *(Se abre la puerta del dormitorio, que obviamente ha sido cerrada con llave. Sale Eva, en bata, peinándose.)* No tiene por qué hacerlo...

(Ve la facha de «El Merluza». No puede refrenar una expresión de divertido estupor.)

«EL MERLUZA»—*(Por la bata.)* Estaba en el baño... ¿No la molesta, supongo?

EVA—No, no. ¿Por qué me iba a molestar?

«EL MERLUZA»—La espuma del jabón estaba tan aromática, que se me debe haber subido a la cabeza... No supe lo que hacía... Hoy en la mañana amanecí con esto puesto...

EVA—Está muy bien...

«EL MERLUZA»—Y entonces me dije: «Merluza, hay que hacer algo útil». Miré fuera y vi las flores de los aromos y las bellas golondrinas dándose caza en torno a la cabeza del general, y me dije: «¡Merluza, hay que hacer algo útil!»... *(Ríe con su risa característica; con risa que llena toda su cara, pero que no dice nada.)* En una mañana así, hasta las ratas del río les gustaría salir vestidas de encaje. ¿Cómo le gusta el huevo?

EVA—¿Huevos?

«EL MERLUZA»—Sí, huevo.

EVA—Pero Beto, no...

«EL MERLUZA»—¿Frito o a la copa?

EVA—*(Gratamente resignada.)* A la copa.

«EL MERLUZA»—¡Acerté! Ya están hirviendo. ¿No le molesta, supongo?

EVA—¿Qué cosa?

«EL MERLUZA»—¿Que haya tomado los huevos así, sin autorización?

EVA—¿Por qué me iba a molestar?

«EL MERLUZA»—Ayer me dijo lo mismo...

EVA—¿Qué?

«EL MERLUZA»—«¿Por qué me iba a molestar?»... Curioso cómo uno se repite continuamente, ¿no? *(Mientras habla así ha estado arreglando su cama improvisada. Junta las mantas, las dobla cuidadosamente. Eva entra al baño.)* Yo tenía un amigo por allá, por un aserradero en el sur, donde estuve trabajando un tiempo, que también tenía una muletilla. «Soy inocente», decía continuamente. A la hora de levantarse; a la hora del desayuno; durante la faena... Persistentemente... Era como una obsesión que tenía y que lo martirizaba... «¡Soy inocente!... ¡Soy inocente!...» ¡Nos sacaba a todos de quicio! Un día lo agarramos entre varios y lo colgamos de los pies, para que no siguiera hablando... ¡Inútil!... Aún así, colgado, seguía: «¡Soy inocente! ¡Soy inocente!» Nunca nadie supo de qué era inocente. Simplemente, el pobre creía que era inocente de algo, y eso le daba fuerzas para seguir viviendo... Curiosas las muletillas, ¿no?... Parecen sin sentido a veces.

(Eva sale del baño peinada, poniéndose un cintillo.)

EVA—Despertó locuaz esta mañana, ¿eh? Anoche no estaba así. Me encanta verlo así.

(«El Merluza» encoge los hombros, levanta la alfombra. Barre.)

«EL MERLUZA»—Ya le dije. Los aromos en flor.

(Eva lo mira.)

EVA—Lo mismo su cara. Tiene otra cara hoy día.

«EL MERLUZA»—*(Sonríe feliz.)* El baño...

(Eva ve que no están las figuras de paja.)

EVA—¿Y mis figuras?

«EL MERLUZA»—¿Mmh?

EVA—¿Mis figuras de paja? ¿La cabeza de burro? ¿El gallo?

«EL MERLUZA»—Las puse ahí en un mueble de la cocina.

EVA—*(Sorprendida.)* ¿Y por qué?

«EL MERLUZA»—Creí que eso *(Por las flores)* se vería mejor.

EVA—*(No sabe qué decir.)* Oh, sí...

«EL MERLUZA»—¿No le molesta, supongo?

LOS DOS—*(A coro.)* ¡No! ¿Por qué me iba a molestar?

(«El Merluza» ríe. Eva ríe después.)

EVA—De todos modos, uno de estos días los iba a quitar de ahí. No hizo más que ahorrarme el trabajo.

«EL MERLUZA»—¿Por qué? ¿No le gustaban?

EVA—Horribles.

«EL MERLUZA»—¿Por qué? Yo no los encontraba nada de feos.

EVA—¿Y por qué los sacó entonces?

«EL MERLUZA»—Porque creí que eso se vería mejor. Nada más. ¿No cree?

EVA—Oh, sí.

«EL MERLUZA»—Usted no debe despreciar su propio trabajo. Porque... usted misma los hizo, ¿no es así?

EVA—En un momento de ofuscación.

«EL MERLUZA»—Malo que se exija tanto. *(Da un salto hacia la cocina.)* ¡Esos huevos ya deben estar buenos! *(Desde la cocina.)* Entre paréntesis... al canario le puse alpiste. ¿Está bien así?

EVA—*(Va hacia la jaula; juguetea con el canario.)* ¡Sí, muy bien!

«EL MERLUZA»—Le iba a poner pan remojado, pero me recordé que es un pajarito de dormitorio. ¡La costumbre de alimentar los gorriones!

EVA—¡Beto!

«EL MERLUZA»—¿Sí?

EVA—¡Anoche oí unas voces!

«EL MERLUZA»—¿Voces?

EVA—Discusiones. ¡Me pareció que venían desde el pasillo! ¿Oyó usted algo?

«EL MERLUZA»—¿Discusiones? ¡No!

EVA—¡Como de gente que discutía acaloradamente!

«EL MERLUZA»—¡Dormí como un leño! ¡No pude oír nada!

EVA—¡Qué raro! Después oí como una puerta que se cerraba de un portazo. ¡Deben ser los vecinos! ¡Unos italianos que trabajan en un cabaret! A veces llegan en medio de la noche con amigos, y se olvidan que éste es un edificio de gente...

«EL MERLUZA»—¡Recatada!

EVA—¿Cómo dice?

«EL MERLUZA»—Recatada. De gente recatada!

EVA—Bueno, sí... algo así. ¡Usted siempre me roba las palabras de la boca!

«EL MERLUZA»—Gente que no sabe vivir. ¡Yo siempre lo digo! Deberían ir a vivir junto al río, para aprender cómo *no* hay que hacerlo.

(Sale de la cocina con una bandeja, sobre la cual, muy bien dispuesto, van dos copas con huevos, dos tazas, tetera, lechera, mantequillera, servilletas, al estilo limpio y nítido de un hotel de categoría; sobre el brazo se ha doblado un paño blanco, a guisa de servilleta. Deposita todo con gran destreza y elegancia.)

EVA—No me va a decir que también trabajó en un hotel...

«EL MERLUZA»—*(Muy eficiente; con una reverencia.)* «Comment dites vous, madame?» *(Eva ríe. «El Merluza», serio.)* «Préférez vous le beurre salé ou sans sel, madame?»

(Eva ríe de buena gana.)

EVA—¿Quién es usted, Beto? ¿De dónde sacó eso? ¡Usted es múltiple! ¡Realmente múltiple!

«EL MERLUZA»—*(Serio siempre.)* Se hace lo que se puede.

(Ambos se ponen a comer los huevos.)

EVA—¿Trabajó en un hotel? ¿Verdaderamente?

«EL MERLUZA»—Mmh.

EVA—¿De... mozo?

«EL MERLUZA»—*(Con la boca llena de huevo.)* De ladrón. *(Eva ríe.)* Cierto. Era un hotel de postín; por eso tuve que entrar por la puerta trasera, para que no me viera el público, ¿comprende, no? *(Eva comprende.)* Me contraté de lavador. Lavador de vajillas... En verdad, no era un verdadero contrato. Solamente un palmotazo en la espalda del tipo gordote que corría con la cocina. Un tipo que se daba importancia. *(Imita.)* «¡Bueno, estúpido, anda a pararte detrás de esos lavatorios, a ver si sabes lavar un plato!»... Me dijo que me daba cien pesos por plato lavado... Era un tramposo... No me advirtió que me descontaría los que quebraba. En la tarde, cuando fui a cobrar, le debía dos mil...

EVA—¿Usted a él?

«EL MERLUZA»—Yo a él.

EVA—¿Y el francés?

«EL MERLUZA»—¿Qué hay con eso?

EVA—¿Dónde lo aprendió? ¿Ahí?

«EL MERLUZA»—Tuve que quedarme seis días para pagar la deuda. En verdad, no llegué a pagarla nunca, porque día que pasaba, mi deuda era más grande. ¿Usted comprende, no es verdad?

EVA—Sí.

«EL MERLUZA»—A la semana me di cuenta que así no andaba el negocio. Fue cuando decidí robarme una máquina de calcular, y apreté...

EVA—Me parece justo.

«EL MERLUZA»—¿Le parece? A ellos, no.

EVA—Pero... ¿y el francés? ¿Dónde aprendió? ¿En otro hotel?

«EL MERLUZA»—Pintando las incubadoras de un tipo en San Andrés.

EVA—¿Era francés?

«EL MERLUZA»—No, yugoslavo... ¿Sabe que sé hacer siluetas con las manos?

EVA—¿Siluetas?

«EL MERLUZA»—Sí. *(Cucharea el fondo de la copa.)* Perros... zorros...

EVA—A ver...

(«El Merluza» va a correr las cortinas. Prende la lámpara que está sobre la mesa. Pone una revista parada sobre sus hojas.)

«EL MERLUZA»—¡Mire! ¿Qué ve?

(Proyecta una figura sobre la revista.)

EVA—¡Un perro!

«EL MERLUZA»—¿Y ahora?

EVA—¡Un conejo!

«EL MERLUZA»—¿Y esto?

EVA—¡Un ciervo! ¡A ver, déjeme hacer a mí! *(Ensaya.)* No. No resulta. ¿Cómo se hace?

«EL MERLUZA»—El índice arriba. El pulgar así...

EVA—*(Le adelanta sus manos.)* ¡Hágamelo usted! *(«El Merluza» titubea en tomarle las manos.)* ¡Vamos!...

«EL MERLUZA»—*(Tomando sus dedos con cuidado.)* Así... No. Este dedo estirado.

EVA—¡Un ciervo! *(Entusiasmada.)* ¡A ver... otro! *(«El Merluza» está junto a ella. Le retiene las manos. Se produce una breve paralogización embarazosa, en que se miran a la cara. Finalmente, «El Merluza», confundido, va hacia la ventana y descorre nuevamente las cortinas. Apaga la lámpara.)* Beto, no tiene por qué ser tan tímido conmigo. *(Ríe.)* No me lo voy a comer, no. *(Agitada.)* Después de todo, habiendo pasado aquí la noche juntos, nos da derecho a cierta... familiaridad, ¿no cree?

«EL MERLUZA»—No juegue conmigo, por favor.

EVA—Pero, Beto, es ridículo. No porque usted me roza una mano... A mí no me importa.

«EL MERLUZA»—Uno debe saber conservar la distancia.

EVA—¿Qué distancia?

«EL MERLUZA»—*(Muestra la bata.)* Es porque me ve en esto, y bañado, que se olvida.

EVA—¿Qué he olvidado? *(«El Merluza» muestra su ropa.)* No sea ridículo. ¿Le he demostrado que eso me importa?

«EL MERLUZA»—No puede ser.

EVA—Si usted insiste.

«EL MERLUZA»—Tendré que irme ahora mismo.

EVA—Yo no le estoy diciendo que se vaya.

(«El Merluza» se levanta y se aleja de ella. Le da la espalda.)

«EL MERLUZA»—*(Con sospecha.)* ¿Para qué?

EVA—¿Para qué, qué?

«EL MERLUZA»—¿Para qué quiere que me quede?

EVA—Yo no le he dicho que se quede. Sólo le he dicho que no tiene por qué irse.

«EL MERLUZA»—¿Qué culpa tiene uno, digo yo?

EVA—¡Pero, Beto...

«EL MERLUZA»—¿Qué culpa tiene uno de haber nacido como nació? ¡Yo no le pedí a mi madre que me diera a luz donde lo hizo!

(Eva se levanta.)

EVA—¡Pero, Beto por Dios!

«EL MERLUZA»—¡Soy un hombre simple, pero tengo mi orgullo!

EVA—¡Claro que lo tiene! ¿Quién se lo niega? *(Se acerca a él. A sus espaldas.)* ¡Beto! Yo no soy la mujer que usted me ve. Soy una pobre mujer llena de necesidad de cariño. Tal vez no lo parezca, porque se me ve tan decidida, tan... realizada. *(Sonríe.)* Pero usted ve. Pinto sola, laureles en flor, un sábado por la tarde, en el Jardín Botánico. ¿No le parece eso... sospechoso?

«EL MERLUZA»—Voy a necesitar pantalones nuevos. Si me quedo aquí un tiempo más, necesitaré pantalones nuevos. No podré volver a meterme en ésos. *(Eva lo mira sin hablar.)* Porque con ésos puestos no podré quedarme, ¿no es cierto?

EVA—No había pensado en eso.

«EL MERLUZA»—*(Siempre sin mirarla.)* Pero ahora lo piensa, ¿no es verdad?

EVA—Bueno... tal vez...

«EL MERLUZA»—*(Su tono cambia; vuelve a su forma de hablar, ansiosa, intensa.)* Porque si, de repente, alguien entra aquí. Si, de repente, alguna amistad suya entra aquí, ¿qué explicaciones podríamos darles? Si me ve aquí, con esto puesto *(Por la bata)*, o con esto *(Por sus pantalones)*, y sentado en uno de los sillones como Pedro por su casa. ¿No le parece?... Podría pensar que soy un pordiosero de junto al río, que usted ha recogido por lástima, para evitar que el pobre diablo estire las patas antes que Dios lo ordene, dándole alguna cosa... Una sopa caliente o un salame... No sería muy correcto, ¿no cree? Más bien triste, ¿no le parece? Una situación triste e irremediable, que ni usted ni yo podríamos resistir durante mucho tiempo, ¿no cree? Porque da el caso que tanto usted como yo sabríamos... ¿y cómo podríamos evitarlo?... ¿Que tanto usted como yo supiéramos la triste realidad? Establecería entre nosotros una situación de miseria moral, que difícilmente podríamos... disimular. ¿No cree?

EVA—¿Y usted cree que con un par de pantalones nuevos eso cambiaría?

«EL MERLUZA»—Podríamos jugar un poco a eso: a engañarnos. ¿No le parece?

EVA—Usted tendrá que superar esa... esa obsesión, Beto. He notado que le hace sufrir.

(*«El Merluza» gira ahora sobre sí mismo. Una amplia sonrisa ilumina su rostro.*)

«EL MERLUZA»—Pantalones azules con una rayita blanca. Una rayita blanca por pulgada, ni más ni menos. Ésos son con los que siempre he soñado.

EVA—Buscaremos algo de su gusto.

«EL MERLUZA»—*(Como un niño feliz.)* ¿Usted lo hará? ¿Es verdad? ¿Usted misma va a ir de tienda en tienda, buscando lo que yo le pido?

EVA—¿Y por qué no?

(*«El Merluza» le toma las manos y se las levanta. La hace girar.*)

«EL MERLUZA»—Usted es un ángel. ¡Usted es un ángel! ¡Un ángel!

EVA—¡Ay, pero por Dios, Beto! *(Se detiene. Ahogada.)* Lo que quería decirle es que lo encuentro inútil. ¡Realmente inútil, Beto! ¡Yo no me fijo en esas cosas!

«EL MERLUZA»—*(Riendo divertido; socarrón.)* ¡Sí, sí se fija!

EVA—No, realmente no.

«EL MERLUZA»—*(Le reprende con un dedo.)* ¡Sí, se fija! ¡Se fija!

EVA—¿Por qué me lo dice? ¿Por qué se ríe?

(*«El Merluza» ríe como si estuviera contando un cuento muy gracioso y algo embarazoso.*)

«EL MERLUZA»—¡Ayer, cuando llegó en la tarde, la trajo una amiga en auto y usted no la quiso hacer pasar!

EVA—*(Niega efusivamente.)* No...

«EL MERLUZA»—¡Sí, sí! Yo vi cómo ella hacía ademanes como queriendo acompañarla arriba, pero usted le decía, con señas también, que estaba bien... que no hacía falta o algo así. ¡Era divertido, divertidísimo, observar cómo usted ideaba... discurría aceleradamente... casi desesperadamente... alguna explicación! *(Siempre ahogado por la risa.)* Moviendo los brazos, así. ¡Tragando aire!

EVA—No, no. No fue por eso...

«EL MERLUZA»—¡Sí, Sí! Pero no se altere. ¡Yo entiendo! ¡Yo entiendo! *(Poniéndose serio súbitamente.)* ¿Qué le dijo a la amiga?

EVA—Bueno... le dije que...

«EL MERLUZA»—Con pantalones nuevos nos libramos del embarazo, ¿ve? Le podemos decir que soy su primo. Un primo lejano que acaba de dejarse caer de la provincia, ¿qué le parece? ¿Un primo o un tío? ¿Qué le parece mejor, más plausible?

(Pausa.)

EVA—Usted va a tener que sacarse de encima esa obsesión, Beto.

(«El Merluza» deja caer los brazos con desaliento.)

«EL MERLUZA»—Sí. Tal vez eso me venga de tanto andar a orillas del río, buscando cosas bajo las piedras. De tanto andar en cuatro patas, buscando cosas, escarbando comida, a uno, finalmente, el mundo se le encoge a la altura de los tobillos. Es un mundillo así, pequeñito, el que uno ve, y dentro de ese mundo chiquitísimo, uno mismo es más chico aún. Ni siquiera a la altura de un sapo. Se adquiere una naturaleza... subalterna. Sub, de algo al menos, es. *(Sonríe nuevamente con una sonrisa hueca, radiante, sin sentido.)* Una naturaleza «sub»... Subdesarrollada... Subordinada... Subyacente... ¡Sublevada! *(Está ante ella sonriendo feliz.)* Una raya blanca por pulgada. Ni más ni menos. ¿Me los comprará como yo le pido?

EVA—*(Con pena ahora.)* Haré lo que pueda.

(«El Merluza» le besa las manos.)

«EL MERLUZA»—¡Es un usted un ángel!

(Eva se sirve café.)

EVA—Si esto le sirve de algo, Beto, debo decirle que le he tomado un gran afecto. Estimo que hay en usted una estupenda base para hacer de usted un hombre... realizado. *(A la voz de «realizado», «El Merluza» comienza a temblar nuevamente. Eva quiere ayudararle, pero la aleja con un gesto de su mano. Se vuelve a calmar.)* No sé qué lo mortifica. *(«El Merluza» retoma los papeles y se pone a hacer flores nuevamente.)* Tome su café. *(Eva va hacia la cocina.)* A esto le falta azúcar. *(De súbito, un grito desde la cocina.)* ¿Y esto? *(Vuelve a salir. Sale con el gallo y el burro de paja. Ambos cuelgan grotescamente de cada mano; tienen el cuello quebrado.)* ¿Por qué los tiró al tarro de la basura? ¿Y el cuello... por qué se lo quebró?

«EL MERLUZA»—No cabían en el tarro.

EVA—Pero... tirarlo... Usted mismo me dijo que los había puesto en el «closet»...

«EL MERLUZA»—Tampoco cabían. *(Reclamando con inocencia.)* ¡Pero usted misma me dijo que eran horribles!

EVA—Sí, pero...

«EL MERLUZA»—¡Le haré uno de papel! Le juro que cuando vuelva en la tarde le tengo hechos un gallo y un burro de papel. ¡Mmh! ¿Qué me dice? Con patas firmes y rojas, y una gran cresta dorada. ¡Un gallo fuerte y poderoso! ¡Mmh! ¿Está bien? EVA—*(No sabe qué decir.)* Bueno, yo... «EL MERLUZA»—*(Con su sonrisa amplia; juguetona; hueca.)* No le molesta que lo haga, ¿no es cierto? LOS DOS—*(Al unísono.)* ¡No! ¿Por qué me iba a molestar?...

(«El Merluza» ríe fuerte. Eva entra en coro. Ambos ríen de todo corazón. «El Merluza», al final, exageradamente, casi destempladamente, cubriendo la risa de Eva con su risa.)

TELÓN

ESCENA IV

(La tarde de ese día. Todos los muebles están cambiados de lugar. La jaula del canario, con la puerta abierta, está vacía. La pantalla de la lámpara de pie ha sido sacada. Sirve ahora de florero para tres enormes flores de papel, ensartadas en alambre. Además, hay flores colgadas de las paredes, de la lámpara.)

(«El Merluza», con las piernas forradas en una manta de lana escocesa y una botella de coñac a su lado, está arrellanado en el sillón, mirando la televisión. Se acaba de lavar el pelo, porque tiene enrollada una toalla alrededor de la cabeza. Está contento a todas luces. La televisión lo entretiene a morir. En la pantalla, que no se ve, suenan unos disparos, gritos de indios. «El Merluza» va poco a poco absorbiéndose en la acción. Imita los movimientos que ve. Se esconde tras el sillón. Dispara hacia el aparato. Salta por encima del sillón. Vuelve a disparar. Lo alcanza una bala. Muere aparatosamente en medio del «living». Está así, crucificado en el suelo, cuando se abre la puerta y entra Eva. Trae paquetes bajo el brazo.)

EVA—¡Beto! («*El Merluza*» *no se mueve.*) ¡Beto! ¿Qué le pasa? *(Deja los paquetes en el suelo. Se arrodilla junto a él.)* ¿Qué le pasa? *(Lo toca.)* ¡Dios mío! *(Le toca la cara.)* Beto... *(Lo sacude.)* ¡Despierte!... ¡Beto, por Dios!...

(Busca desesperadamente algo a su alrededor. Va hacia la cocina. Vuelve corriendo con un vaso de agua. Le da de beber, mientras le sujeta la cabeza. «*El Merluza*» *abre un ojo.)*

«EL MERLUZA»—¿Trajo los pantalones?
EVA—¡Oh, Dios, Beto! ¿Qué hizo?... ¡El susto que me hizo pasar!
«EL MERLUZA»—¿Azul? ¿Con rayas blancas?

(Eva le pasa un paquete, que «*El Merluza*» *abre ávidamente. Tirando los papeles.)*

EVA—¿Por qué me hace esto?
«EL MERLUZA»—*(Un grito de estupor.)* ¡Son grises!
EVA—Sí. No encontré los que usted quería.
«EL MERLUZA»—*(Ultrajado.)* ¡Pero yo los pedí azules!
EVA—Le digo. No encontré como usted quería.
«EL MERLUZA»—*(Grita.)* Azules con una raya blanca. ¡Una por pulgada! ¡Y usted me trae grises!... ¿Qué quiere que haga con éstos?
EVA—Busqué en todas las tiendas, pero...
«EL MERLUZA»—No buscó bastante...
EVA—Sí busqué, Beto. Busqué, pero...
«EL MERLUZA»—No buscó. Ayer vi tres pares en diferentes tiendas. *(Mantiene los pantalones en alto.)* ¿Qué voy a parecer en éstos? ¿Qué me va a decir el Mario cuando me vea en éstos? Que soy uno de esos pijes de la Plaza España; eso es lo que va a decir que parezco. Uno de esos pijes de los departamentos de la Plaza España, que sólo sirven para calentarle la cama a sus hembras. ¡Pijes de pollera! ¡Pijes de guata blanda! ¡Eso va a decir que parezco! *(Los lanza lejos.)* ¡No los quiero!

(Eva los recoge con un gesto de desaliento. Los vuelve a envolver.)

EVA—No creí que importaría tanto.
«EL MERLUZA»—No, claro. Para un tipo que anda en harapos, cualquier cosa es buena.
EVA—No lo hice pensando en eso.

(Larga pausa embarazosa. «*El Merluza*» *apaga la televisión.)*

«EL MERLUZA»—¿Le gusta el arreglo que hice con los muebles?
EVA—*(Distraída.)* Oh, sí... muy bien.
«EL MERLUZA»—¿Está mejor así?
EVA—Mejor, sí.
«EL MERLUZA»—¿Y las flores, le gustan?
EVA—Bonitas, sí.
«EL MERLUZA»—El canario se escapó.

(Eva se vuelve hacia la jaula.)

EVA—¡«Pepito»! ¡Oh, Dios! ¿Y cómo fue?
«EL MERLUZA»—*(En medio de la habitación; la viva imagen de la inocencia.)* Abrí la puerta para darle alpiste y ¡zas!, se largó.
EVA—¿Y dónde está?
«EL MERLUZA»—No sé... *(Eva va hacia la ventana y mira afuera.)*
Fue cuando abrí la puerta para darle alpiste, que se largó. Voló un rato por la pieza, se metió al dormitorio, a la cocina y volvió a pasar por encima de mi cabeza. Traté de agarrarlo con una toalla. Pesqué una toalla del baño y traté de agarrarlo. Por un momento creí que lo tenía agarrado. Fue cuando se paró sobre el marco de ese cuadro. Me paré frente a él, esperando el momento de tirarle encima la toalla, pero fue ahí cuando me di cuenta que no quería que lo agarrara... *(Eva se vuelve hacia él.)* Estaba todo de parte mía. No podía fallar. Era cuestión de tirar la cosa esa y, ¡zas!, habría sido mío... Pero fue ahí que me di cuenta que no querría que lo agarrara... Algo que había en su actitud, ¿me comprende?
EVA—¿De modo que lo dejó irse?
«EL MERLUZA»—No sé. Simplemente, por un momento, no pude hacer nada. Creo que fue ahí que volvió a emprender el vuelo, dio una vuelta por todo el departamento y, finalmente, salió por esa ventana... hacia los aromos en flor... Debe ser por culpa mía... Creo que nunca le caí en gracia al pajarito... Desde el primer día observé que siempre me miraba de reojo, como con recelo... Debe ser que él, antes que yo, se dio cuenta que los dos no cabíamos en una misma habitación... *(Vuelve su sonrisa, que no dice nada.)* Los animalitos tienen una tremenda perspicacia para estas cosas... Es una suerte que él partió primero, porque, si no, a lo mejor, me toca a mí... *(Eva desaparece en el dormitorio.)* ¿Sabe que alcancé a ponerle un apodo...? «Corsario»... Un nombre raro para un canario, ya lo sé, pero es que a mí ese nombre me evoca algo... Tal vez, que es necesario ser muy valiente

para soportar una jaula... «Corsario»... ¡pobrecito...! *(Espera un rato.)* ¿Quiere que me vaya?

(Eva sale, poniéndose una bata sobre el vestido. No puede dejar de sonreír al ver la facha de «El Merluza», parado en medio de la habitación. Los brazos caídos, envuelto en la manta, la cabeza envuelta en la toalla, las piernas desnudas; culpable, compungido, contrito.)

EVA–¿Y por qué voy a querer que se vaya?

«EL MERLUZA»–Por lo del pajarito. Desde que llegué no he hecho otra cosa que armar líos.

EVA–Usted no es más que un niño consentido, Beto.

«EL MERLUZA»–Rechazarle con tanta grosería los lindos pantalones que me compró.

(Eva lo toma de una mano.)

EVA–Venga, niño consentido. Hace tiempo que creo que debemos hablar algo. Poner algo en claro.

«EL MERLUZA»–Con todo el cariño con que usted me ha recibido...

(Eva lo sienta a su lado en el sillón. Le pone un dedo sobre los labios.)

EVA–¿Qué estabas haciendo en el Jardín Botánico el día que yo pintaba laureles, niño regalón?

«EL MERLUZA»–Bueno... Andando por ahí...

EVA–Ven, dime la verdad.

(«El Merluza» se mantiene alejado de ella.)

«EL MERLUZA»–Usted me tutea...

EVA–Hazlo tú también si lo deseas. No me voy a quebrar por eso, ¿no crees?

«EL MERLUZA»–Ahí la tenemos otra vez, riéndose de mí.

EVA–*(Impaciente.)* ¡Oh, Beto, vamos! Déjate de cosas, ¿quieres? No vamos a pasar una vida, tú, con tus susceptibilidades y, yo, aquí, sin saber cómo tomarte. Yo sé que no eres lo que pareces o lo que pretendes parecer. Algún desliz, alguna resbalada «por la pendiente de la vida...» *(Hace un gesto, como divertida de su propio cliché.)* Te llevó donde te hallas ahora, pero yo sé que no eres lo que pareces... o no pareces lo que eres... A mí nada de eso me importa; ya ves que ni siquiera te pregunto... ¿Me puedes culpar de eso? ¿De haberte preguntado? *(«El Merluza» niega con movimiento de cabeza.)* No, ¿no es cierto? Entonces, ¿por qué no te pones a tono? ¿Mmh...? ¿Hablamos de igual a igual?

«EL MERLUZA»–¿De igual a qué?

EVA–Bueno, de igual a igual, ya te dije...

«EL MERLUZA»–Y si yo no fuera lo que pareciere, o no pareciere lo que fuera, no podríamos hablar así, ¿no es cierto? De igual a igual...

EVA–Bueno, tal vez no...

«EL MERLUZA»–¿Por qué?

EVA–Porque ahí estarían tus susceptibilidades, impidiéndolo. *(Se acerca un poco más a él.)* Vamos, tontito, dime...: ¿Qué hacías en el Jardín?

«EL MERLUZA»–Mirando los loritos.

EVA–No, en verdad... ¿Qué hacías?

«EL MERLUZA»–El Mario me había mandado a recoger puchitos frente al quiosco del orfeón para hacer tabaco molido para ir a venderlo al prostíbulo de la Marquesa.

(Pausa.)

EVA–No quieres confesarlo, ¿eh?

«EL MERLUZA»–También la Chencha, la vieja sorda que vende diarios frente al Congreso, me había pedido que le fuera a tirar de las plumas a la cola de los loros para hacerse un adorno para el sombrero...

EVA–Ayer, recién llegado, me dijiste que hace un año me recordabas pintando laureles en flor en el Jardín, con mi sombrero de paja de cinta verde. A menos que seas muy observador y tengas una memoria muy especial, nadie podría creerte que pudieras guardar esos detalles durante tanto tiempo... si no fuera por una razón muy especial también...

«EL MERLUZA»–¿Razón especial?

EVA–Inclinación especial.

«EL MERLUZA»–¿Inclinación especial?

(Está de espaldas a ella, alejado de ella.)

EVA–¡Oh, Beto, no seas tan... tímido!

(«El Merluza» se levanta.)

«EL MERLUZA»–¡Es que no puede ser!

EVA–*(Desde su lugar.)* ¿Por qué?

«EL MERLUZA»–¿Adónde conduciría eso?

EVA—¿Y a quién le importa? Es raro que tú, con la vida que llevas, te estés preocupando del mañana. Como si toda tu vida te hubieras pasado previendo cosas. Apuesto que en tu vida te has preocupado de nada... ¿Por qué te preocupas ahora, entonces?... ¿Estoy preocupada yo acaso?

«EL MERLUZA»—Con usted es diferente.

EVA—¿Por qué conmigo?

«EL MERLUZA»—Porque usted sabe lo que yo no sé.

EVA—¿Y qué es lo que sé?

«EL MERLUZA»—Que yo no soy lo que parezco o no parezco lo que soy. En cambio, yo sólo sé que soy lo que parezco y no que soy lo que no parezco. En otras palabras, usted tiene su fantasía y yo sólo mi realidad, que es mucho más pobre, mucho más triste, mucho más desilusionante... *(Con voz entrecortada.)* Esa es la ventaja que usted me lleva, aunque usted diga que no me preocupo... Lo que pasa es que uno se preocupa tanto de preocuparse que, al final, ya no se preocupa más de preocuparse...

EVA—¡Beto... Beto! Vuélvete... *(«El Merluza» se vuelve. No la mira, sin embargo.)* Si fueras tan sólo el pobre vagabundo que aparentas ser, no podríamos siquiera entablar esta conversación, ¿no te parece? Ya lo nuestro habría terminado hace mucho tiempo. Ayer mismo tal vez. Después de darte tu sopa caliente, te habría largado, porque es muy seguro que habrías terminado por... aburrirme. No hay nada más aburrido que la conversación de los pobres cuando se autoconduelen. ¿No te parece? *(A «El Merluza» le parece. Asiente con la cabeza, mirando el suelo. Eva se acerca a él. Le toma de un brazo.)* Desde el primer momento que te vi supe quién eras. Comprendo que tu timidez debe ser consecuencia del mal trato que te ha dado la vida. Cosas que te han sucedido han terminado por acoquinarte. Yo quiero que me creas muy sincera cuando te digo que a mí no me importa... No pongo barreras falsas entre nosotros, ¿me comprendes? *(«El Merluza» comprende.)* ¿Crees que soy tu amiga, Beto? *(«El Merluza» cree.)* ¿Entonces...?

(Eva espera.)

«EL MERLUZA»—Entonces vamos a tener que cambiar los muebles que hay aquí.

EVA—*(Sorprendida.)* ¿Los muebles? ¿Por qué?

«EL MERLUZA»—No me gustan.

EVA—¿No te gustan?

«EL MERLUZA»—Es lo que dije.

EVA—Bueno. *(No sabe qué decir.)* Que tiene, ¿qué?

«EL MERLUZA»—No tienen clase.

EVA—¿Clase?

«EL MERLUZA»—Estilo… No tiene estilo. *(Con irritación.)* ¡Trastos que uno encuentra por miles por ahí en cualquier negociucho de adefesios de segundo orden! ¡De sólo verlos dan ganas de gritar! ¡No tienen imaginación, ni fantasía, ni ensueño de ninguna especie! *(Eva está aturdida.* «*El Merluza» gira hacia ella.)* A ver: ¿cuánto tiempo demoró en elegirlos?

EVA—Bueno, yo…

«EL MERLUZA»—¡Ni cinco minutos, apuesto! Entró en la tienda como quien entra a comprar una aspirina y marcó con el dedo el primer trasto que se le vino a los ojos, ¡apuesto! ¡Cualquier cosa que sirviera para tirar el cuerpo y quedarse dormido! ¡Bueno, usted está equivocada! Se necesita ser un poeta para elegir un mueble y darle la categoría que se merece… Todas las células nerviosas del refinamiento deben ser puestas en tensión cuando ha llegado el momento de decidir. ¡Usted es como Fabián, el loco que vive al otro lado del estero, que agarra cualquier cosa donde poner el culo!… Un tarro de parafina viejo… una maleta desvencijada… sus zapatos… el pecho del Sandilla, un vago sifilítico que anda por ahí con él robando durmientes de ferrocarril… ¡cualquier cosa! ¡Como si con eso estuviera resuelto el problema! ¡La elección de un mueble es un acto de liturgia! *(Hace lo que va describiendo. A medida que hace así, su excitación va en aumento. Su concentración en lo que va diciendo lo absorbe enteramente. Termina como arguyendo, como discutiendo con otro ente que hay dentro de sí mismo y a quien debe convencer.)* Hay que levantarle las polleras y ver si tiene los largueros de álamo o de caoba, porque nunca falta algún desgraciado que quiere meterle a uno gato por liebre y hacerle pasar el álamo por caoba, y eso no estaría bien, porque podrían enterarse las visitas. Después, también es importante que estén todos los clavos en su lugar. Todos los clavos o, más bien, toda la cola, porque podría resultar que no fueran flecos de raso, sino simples borlas de paño ordinario las que aquel hijo de puta le quiere meter a uno… Y también es importante, importantísimo, de primera importancia, preocuparse de la forma, del color, del diseño, de si es brocado o terciopelo, de si está hoy de moda la silueta oblonga o el diseño recto, de si son tarugos de corte cóncavo o convexo, ¡de si le han puesto clavos los hijos de puta, clavos y no tornillos! Porque las visitas, al sentarse, no deben caer simplemente en los sillones, sino que al doblar las rodillas deben más bien encontrarse… ¡eso es!, encontrarse con la anatomía del asiento ajustada a sus posaderas… ¡Todo eso debe tomarse en cuenta! ¡Todo eso debe considerarse con el mayor cuidado! ¡Porque todo ello es de

máxima importancia! ¡De primerísima importancia! (*Termina, extenuado.*) Hay que poner en ello la vida... si fuera necesario... ¡Eso es lo que no quiere comprender el loco Fabián! (*Pausa.*) Tendremos que cambiar estos muebles. Se lo debemos a las visitas...
EVA—Bien, los cambiaremos. Tú eliges. ¿Estás conforme?
«EL MERLUZA»—¿Cuándo?
EVA—¿Mañana?
«EL MERLUZA»—Mañana ya no estaré aquí.
EVA—¿No te das cuenta, tontito, que a contar de hoy estarás aquí mañana y todos los días que quieras?
«EL MERLUZA»—Tendremos que salir a la calle.
EVA—¿Para qué?
«EL MERLUZA»—Para elegir los muebles.
EVA—¿Y qué hay con eso? Saldremos, pues.
«EL MERLUZA»—¿Con qué ropa?
EVA—Te compraré un traje.
«EL MERLUZA»—Gris.
EVA—Yo creí que lo querías azul con rayas blancas...
«EL MERLUZA»—Ese es el pantalón. El traje lo quiero gris... Gris con pequeños puntitos blancos, apenas visibles. Más bien invisibles que visibles... Más bien...
EVA—Como tú digas. ¿Estás conforme?

(*«El Merluza» la mira de reojo. Receloso. Glacial.*)

«EL MERLUZA»—No sin antes decirme cómo va a ser.
EVA—¿Cómo va a ser qué?
«EL MERLUZA»—Esa marcha por la calle.
EVA—No entiendo.
«EL MERLUZA»—¿Voy a ir delante o detrás de usted?
EVA—Ya estamos de nuevo... A mi lado, si quieres.
«EL MERLUZA»—¿A qué distancia? ¿Un metro? ¿Dos? ¿Lo ha pensado...? ¿Y qué le vamos a decir al tendero? (*Eva lo mira. No responde.*) O, más bien... ¿cómo va a ser? ¿Voy a entrar yo o usted a la tienda? Usted o yo, ¿vamos a pedir el traje? ¿Y con qué propósito? Tendremos que inventar una disculpa plausible... Sin tartamudeos... Sin «es que» ni «porque», ni «disculpe, pero qué», ni «resulta que»... Porque hay tipos suspicaces, tremendamente suspicaces... Sospechan que uno es lo que no es ni es lo que es con sólo echarle a uno una mirada... Tienen radar en las narices... Ven un andrajoso y deducen un mundo de cosas... Deducen que uno es borracho, morfinómano, pederasta, ratero, coimero, proxeneta, exhibicionista, sodomita, infanticida, narciso, necrófilo, prostituto, con la misma facilidad con que se

ponen una camelia en el ojal... A la simple vista de un andrajo se les despierta toda una fantasía mitológica. *(Se vuelve hacia Eva.)* ¿Entiende lo que le quiero decir? Tendremos que tener el mayor cuidado. *(Con la cara en blanco.)* ¿Cree que resultará si le decimos que juego... tenis? EVA—¿Tenis? ¿Y por qué eso?
«EL MERLUZA»—¿Su marido no juega tenis?
EVA—Sí. ¿Cómo lo sabe?
«EL MERLUZA»—*(Muestra hacia el dormitorio.)* Los pantalones y la polera, ahí, en el closet...
EVA—Curiosillo, ¿eh?
«EL MERLUZA»—¿Cree que podría pasar?
EVA—¡Tú podrías pasar por cualquier cosa!

(La sonrisa en blanco de «El Merluza».)

«EL MERLUZA»—Hasta por gigoló, ¿eh?

(Ríe. Eva ríe también. Una risa dolorosa, entrecortada.)

EVA—¡Oh, Merluza, tú me desquicias! ¡Tienes una comicidad casi hiriente que no entiendo! ¡Lo único que entiendo es que me fascinas! *(Se acerca a él.)* Esta noche vas a volver a dormir aquí, en el sillón, pero yo no cerraré la puerta de mi dormitorio... Ya no desconfío, ¿ves? *(«El Merluza» le toma las manos.)* Si te sientes solo, no dudes en llamarme. Tengo el sueño liviano. *(Muy cerca de él.)* Al menos que no tengas atracción por solteronas de más de cuarenta, que pintan por desesperación o guardan por nostalgia la ropa del hombre que dejó el nido hace siglos ...Una solterona que ni siquiera sabe comprar muebles apropiados.
«EL MERLUZA»—*(Rígido de nuevo.)* ¿Tendré que... bañarme de nuevo?

(Eva apoya su cabeza en el pecho de él.)

EVA—¡Oh, Beto! ¡Entrégate...! Descansa... *(Después de un rato.)* Apoyar la cabeza en tu pecho es como apoyarla en una roca. ¿Qué te ha hecho la vida que te ha dejado así?
«EL MERLUZA»—«¿Comme dites-vous, madame?»
EVA—*(Lo mira. Lo besa en la mejilla.)* ¡Oh, mi amor!

(«El Merluza» mira de frente. Es una roca. Una esfinge.)

«EL MERLUZA»–Sí. Es de la mayor importancia, de primerísima importancia elegir las palabras apropiadas para decir lo que uno quiere decir. Hay en ello todo un proceso de selección cuidadosamente prearreglado por el espíritu. Proceso en el cual nada tiene que ver la propia voluntad. Lo fundamental es creer en la belleza de sus propias expresiones, ya que sin el aporte de la entrega de uno, las palabras lanzadas a su propio capricho adquieren una dimensión falsa, en que ni siquiera uno mismo, y mucho menos los demás, pueden hallar nada que les evoque ni siquiera una mentira. Lo importante, entonces, es decir lo que uno quiere decir sin decirlo, para que los demás aporten todo el peso de su propio... engaño. Sólo así podrá uno ser feliz.

EVA–¡Oh, Dios!

(«El Merluza» comienza a hacer figuritas con las manos, que se proyectan en el muro, al frente.)

«EL MERLUZA»–Un conejo, ¿ve?... Una lechuza... Un niño... Un niño asustado. *(La mira.)* ¿Tiene un hacha?

EVA–Sí...

«EL MERLUZA»–¿Y un serrucho? ¿Y un martillo?

EVA–Sí. Mi marido tenía.

«EL MERLUZA»–Démelos. Esta noche haré unos muebles como a mí me gustan.

EVA–¿Dónde? ¿Aquí?

«EL MERLUZA»–En cualquier sitio.

EVA–Están en la cocina. *(Eva va hacia la cocina. Se oye un grito.)* ¡Y esto! ¿Qué le pasó a «Pepito»? *(Sale con el canario muerto colgando de su mano.)* ¿Quién le hizo esto?

«EL MERLUZA»–*(Desconsolado; atropelladamente, como un niño pillado en falta.)* Ya le dije. ¡Quise cazarlo, pero él no me dejó que lo cazara! ¡Desde el comienzo me tomó inquina! Desde la primera mirada, me miró de reojo. ¡Lo seguí por toda la pieza! Le rogué, le imploré que se dejara cazar, pero insistía en seguir volando. ¡No quiso oír mis ruegos...! *(Pausa.)* Cuando, finalmente, ya no pudo seguir volando, estaba demasiado agotado para entender el sentido de mis ruegos. Expiró sin haberme dado siquiera la ocasión de darle una explicación... *(Otra pausa.)* Pude haberlo querido a ese pajarito. *(Solloza.)* Pude haberlo querido verdaderamente... Si sólo me hubiera dejado... *(Mira a Eva.)* ¡Pobre «Pepito»! Pobre corsario maricón...

TELÓN

Escena V

La mañana siguiente.

(En la radio tocan «El vals de las libélulas». «El Merluza», en tenida de tenis, de rodillas en medio del «living», clava una silla rústica, o más bien lo que parece una silla, con los restos de un sillón desarmado. Del sillón no quedan más que un montón disperso de algodones y plumas, resortes y tela desgarrada. El maderamen también ha sido deshecho violentamente, como si un ave de rapiña hubiese hecho presa de todo. Tampoco están los cuadros. En lugar de ellos, cuelgan ahora páginas de periódicos. Hay más flores de papel dispersas en diversos lugares. Son ahora flores de mayor tamaño, hechas con menos cuidado, simulacros de flores, como hechas sólo a base de páginas enteras de periódicos, arrugadas, atadas en su base con alambres. «El Merluza» tararea feliz la música mientras trabaja. Después de un rato aparece Eva, en bata, en el vano de la puerta del dormitorio; por un momento mira cómo «El Merluza» trabaja, luego:)

Eva—Te oí trabajar toda la noche. Como si un gran ratón se hubiera colado en mi departamento. *(Mira la habitación.)* No se puede decir que no te ha cundido.

«El Merluza»—¿Le gusta?

Eva—Buen trabajo.

«El Merluza»—Me pescó la fiebre... Cuando pesco la fiebre es como si viera doble... Veo una cosa por hacer, y ya está la otra, ahí, por hacerse... Cuando ataco la otra, ya hay una nueva pidiendo que le ponga empeño, y así sucesivamente... El Mario nunca me ha dado crédito como carpintero...

Eva—Debería venir a ver ahora.

«El Merluza»—Dice que soy bueno para desarmar cosas... romperlas; pero que para hacer carpintería... verdadera carpintería... hacerla verdaderamente... ¿Me comprende usted...?

Eva—Sí.

«El Merluza»—Dice que no sirvo. «Eres un vándalo», me dice... Me lo pasa diciendo continuamente... Tal vez porque siempre me ha visto sólo en esto: reuniendo un todo de piezas dispersas; armando *puzzles* de desechos... ¿No cree usted?

(Eva ha ido a sentarse en el único sillón que queda.)

Eva—Debe ser por eso.

«EL MERLUZA»—Eso es lo malo con el Mario. Sólo tiene imaginación para las cosas *a posteriori*. No tiene imaginación para las cosas *a priori*... Pienso que, ahora, debería verme en esto, ¿no cree?
EVA—Ya lo dije.
«EL MERLUZA»—Esto le cerraría la jeta al mal hablado, ¿no cree usted? *(No espera respuesta. Levanta en alto, en triunfo, la silla que acaba de terminar.)* ¡Luis quince! ¿Qué le parece?
EVA—¡Excelente!
«EL MERLUZA»—¿O Luis dieciséis tal vez?
EVA—¡No! ¡Luis quince!
«EL MERLUZA»—¿Por qué?
EVA—Bueno, porque...
«EL MERLUZA»—¿Sí?
EVA—Porque tú lo dices...

(Por un breve instante brilla un destello de ira en los ojos de «El Merluza».)

«EL MERLUZA»—¿Qué le pasa? ¿Me está tomando el pelo?
EVA—No, yo...
«EL MERLUZA»—¡Odio las complacencias!
EVA—No le estaba tomando el pelo. Tanto que, a mí, más que Luis quince, me parece Restauración.
«EL MERLUZA»—¿Restauración? *(La idea le cae en gracia. Ríe.)* ¡Restauración, sí! Tiene gracia, ¿sabe? ¡Restauración! ¡No había pensado en ello! *(Siempre riendo.)* Eso es lo que me gusta en usted, ¿sabe? ¡Que tiene sentido del humor!
EVA—*(Riendo también.)* ¿Sentido del humor?
«EL MERLUZA»—¡Sí! ¡Desde el primer momento que metí mis sucias gambas en su reino! Entro aquí y le rompo todos sus muebles... Le suelto el canario... le revuelvo todo el closet... le lleno la pieza de horribles flores de papel, y usted, ¡siempre... complaciente! ¡Siempre sonriendo!
EVA—¿Y qué otra cosa me queda por hacer?
«EL MERLUZA»—Sí. La fuerza de las circunstancias, ¿no?
EVA—Del destino.

(«El Merluza» se pone serio bruscamente.)

«EL MERLUZA»—El destino es la cirrosis o un pulmón agujereado por una vida estúpida perdida en borracheras. No lo confunda con otra cosa... Yo estoy aquí, estrictamente, por culpa de una sopa caliente. No lo olvide... *(Le muestra la silla, en la cual ha estado trabajando nuevamente.)* ¿Le gusta ahora?

EVA–Beto... Dejé abierta la puerta anoche. No entraste... *(«El Merluza» se concentra en su trabajo.)* Te esperé. *(Pausa, sonrisa incierta.)* Y ya que no entraste, no pudiste darte cuenta tampoco que hasta me puse una camisa de dormir especial anoche. La camisa que usé en mi primera noche de... amor. *(Ríe.)* Después, mi marido me la hacía poner en nuestros aniversarios... Un camisón largo, celeste, con dos rosetas, aquí, sobre el escote... Un camisón que mantiene el olor de los pinos de San Esteban... Mi marido opinaba así al menos... Que guardaba el aroma de nuestra primera noche pasada bajo los pinos de San Esteban... con las olas del mar rompiendo muy cerca... casi a nuestros pies... y la luna... la luna eterna *(Sonríe)*, una luna intrusa y amiga, presenciando nuestra... pasión. *(Espera.)* ¿Lo creerías tú, Beto, que yo sería capaz de eso? ¿De una noche de pasión bajo los pinos, con sólo la luna de testigo y el camisón celeste de almohada? *(Se lleva la mano a la frente.)* No parecería, ¿no es cierto? Eso es lo que te hace tan injusto, que no creas que eso no es posible... o que ya no es posible... Porque tú crees que ya no es posible, ¿no es cierto? *(«El Merluza» trabaja.)* ¿No es cierto? ¿Que crees que ya no es posible...? *(Un gesto vago, huidizo; una sonrisa incierta, un leve desvanecimiento.)* Que una solterona como yo, ¡oh Dios!, se despoje de su pudor y abra sus brazos al amor con sólo el aroma de los pinos de testigo... y la luna intrusa... *(Lo mira.)* Contéstame... ¡Ni oyes lo que te digo...! *(Va sobre la radio y la corta con un ademán nervioso.)* ¡Contéstame...! ¿Lo crees posible?

(«El Merluza» va hacia la radio y vuelve a prenderla. Reanuda «El vals de las libélulas».)

«EL MERLUZA»–Cuando estoy trabajando me gusta hacerlo acompañado de buena música. *(Eva va a ir nuevamente sobre la radio cuando la detiene en seco la voz contenida, amenazante, frenética de «El Merluza».)* ¡No la corte! ¡Le aconsejo que no lo haga! *(Eva sigue.)* ¡No lo haga le digo!

EVA–*(Desafiante.)* Y si lo hago, ¿qué?

«EL MERLUZA»–La corto en pedazos y reparto los trozos por la pieza. *(Reanuda su trabajo en la silla. Eva lo mira con horror. De pronto, la expresión de «El Merluza» se relaja. Vuelve su antigua sonrisa.)* Córtela si quiere. Después de todo, esta es «su» casa, ¿no? No debe tomar todo lo que le digo al pie de la letra. *(Eva va hacia la cocina. Después de un rato se oye un vaso que cae y se quiebra. Una exclamación de angustia y de fastidio de Eva. «El Merluza» ha terminado su silla. La levanta en el aire. La sacude en triunfo.)* ¡La terminé! ¡Ahora me gustaría invitar al Mario a que la viera! ¡Esto le cerraría el hocico al pesimista! ¡Largueros firmes, bien ensamblados! ¡Respaldo duro, como se pide! ¡Firmeza en toda la línea! ¡Sólida! ¡Resistente! *(Se acerca a la cocina. Le habla a Eva, que no se ve.)* Siempre se lo dije a Fabián. «Lo que pasa con nosotros, loco», le dije, «es que no sabemos comprar...» Nos quejamos... Nos lamentamos... Partimos siempre de la base que no podemos comprar lo que queremos... Nos pasamos todo el día... ¿Cómo dijo usted ayer?

EVA—¿Qué?

«EL MERLUZA»—¿Que cómo dijo usted ayer?

EVA—¿Cuándo?

«EL MERLUZA»—Cuando dio sus razones de lo aburridos que resultaban los pobres cuando se trataba de hablar con ellos... Dijo que se... ¿Cómo fue la palabra?

EVA—Autocondolían...

«EL MERLUZA»—Eso es... «Se autocondolían»... Nos pasábamos todo el día «autocondoliéndonos, Fabián», le dije. ¡Eso es!: «Autocondoliéndonos». Tiene gracia, ¿sabe? Autocondoliéndonos... Nos pasamos todo el día en eso, Fabián... Autocondoliéndonos... Pero, en verdad, lo que pasa es que no sabemos comprar... ¿Cómo podemos aspirar a nada si ni siquiera comenzamos con eso, aprender a comprar? «Fabián», le dije, «cuando nosotros nos limitemos a andar por ahí rastreando cosas, escarbando bajo los papeles, buscando lo más barato, en un gesto así, menguado», ¿me comprende usted...? *(Con desprecio.)* «Una cosa así, como a escondidas... Miserable, chiquita, sin vuelo... *(Hace el gesto.)* Así como haciéndonos un ovillo... Vueltos hacia dentro... como ocultando nuestros bolsillos de las miradas extrañas... escarbando... rastreando las monedas... En un ademán mezquino, como de avaro... Así, ¿cómo podemos pretender embellecer nuestras vidas, Fabián...? ¿Cómo pretendemos salir de una vez de la mierda, hijo de la gran puta», le dije... ¿Le pregunté? *(Sentencioso de nuevo, pomposo.)* ¡Para el que no sabe comprar, nada bueno le cabe esperar! ¡Para el que no sabe adquirir, sólo le cabe morir! *(Ríe.)* ¡Me salió en verso sin esfuerzo. *(Mete la silla en la cocina y se la muestra a Eva.)* ¿Le gusta?

EVA—Sí... me gusta.

«EL MERLUZA»—No lo dice muy convencida.

EVA—Beto, no comencemos de nuevo con eso...

«EL MERLUZA»—¿Le gusta?

EVA—*(Resignada.)* Sí...

«EL MERLUZA»—¿Mucho?

EVA—Mucho.

«EL MERLUZA»—¿Más que el sillón que había anoche?

EVA—Más.

«EL MERLUZA»—¿Mucho más?

EVA—Mucho más.

«EL MERLUZA»—¿Por qué?

EVA—Porque es hecha por ti.

(«*El Merluza» da un grito de animal herido. Un grito salvaje. Luego, se encoge y tiembla.*)

«EL MERLUZA»—¡Yo no quiero eso! ¡Yo quiero *la verdad!* ¡Yo no quiero autocondolencia! ¡Yo no quiero complacencia, la pura, la santa, la entera, la absoluta… verdad…! Dígame «No me gusta tu silla, porque es el producto repugnante de un loco maniático, a quien su odio le ha castrado todo saldo de su instinto de belleza…!»

(*Sale Eva, terminando de disolver, en un vaso, un calmante gaseoso que ha estado preparando. Lo bebe.*)

EVA—¿Por qué iba a decir eso si no lo siento?

«EL MERLUZA»—¡Mentira!

EVA—Si tú dices…

«EL MERLUZA»—Lo dice por una motivación secreta encerrada ahí, en esa cabeza suya…

EVA—Si tú dices…

«EL MERLUZA»—¡Lo dice por compasión!

EVA—¿Compasión por ti?

«EL MERLUZA»—¡Piedad!

EVA—¿Y por qué iba a sentir piedad?

«EL MERLUZA»—¡Misericordia! Conozco los síntomas en la voz. Conozco cada inflexión de la voz, cuando alguien habla por misericordia… Es la voz del que baja la mano para dar algo, que es distinta a la voz del que sube la mano para recibir algo… A ver, diga… «Me gusta tu silla».

EVA—Me gusta tu silla…

«EL MERLUZA»—¡No, no! Así, suavemente, con toda la intención posible… Así, ¿ve? «me gusta tu silla».

EVA—Me gusta tu silla…

«EL MERLUZA»—¡No, no! ¡Con una «u» más larga! Así, ¿ve? (*Dice.*) «Me guusta tu silla…»

EVA—¡Me guusta tu silla!

(*«El Merluza» da un grito de triunfo.*)

«EL MERLUZA»—¡Ahí está! ¿Ve? ¡Esa inflexión en la voz! ¡Ese temblor incierto! ¡Ese tiritón doloroso...! ¡Usted me tiene compasión! EVA—*(Cansada ya.)* En verdad, Beto, no.

(*«El Merluza» sacude la silla.*)

«EL MERLUZA»—Esta silla es horrible. *(La mira con disgusto.)* Mal gusto. Mal ensamblada. Mal armada. Mal concebida. Los largueros no juntan. El respaldo se desarma... *(Comienza a desarmarla.)* Las piezas no ajustan... Se ve la mano sin clase. *(A cada ocurrencia va soltando una pieza de la silla hechiza.)* Sin refinamiento, gris, chata... primitiva... aborigen... ordinaria... ruda... torpe... floja... descuidada... poltrona... boba... perezosa... de una concepción hecha... por un hombre... del... ¡pueblo! *(Estrella en el suelo los restos que quedan.)* Era una silla que merecía estar junto a un fogón de trapos sucios a la orilla de un río, y no en un bonito departamento de la Plaza de España... *(Descansa al fin.)* El fin de una quimera... *(Mira a Eva.)* Debió haberlo dicho sin embargo...

EVA—*(Con la mayor naturalidad posible.)* ¿Por qué iba a decirte algo que no siento?

«EL MERLUZA»—Porque esto establece un abismo entre usted y yo, ¿comprende? Un abismo que es tan ancho como una vuelta a la tierra entera. *(Declamatorio, impersonal, sentencioso nuevamente. Liviano.)* ¡La piedad es el puente colgante roto que une la ira con una guata contenta! *(Sonríe con su sonrisa vacía en toda la cara.)* ¿Le gustó eso?

EVA—¡Oh, Dios, Beto! ¿Cómo debo tomarte? (*«El Merluza» la mira, desolado.)* Te juro que no sé. Desde que llegaste te abrí la puerta de mi casa; te recibí en ella con todo mi cariño. Procuré darte todo lo que tengo, pero tú persistes en... ignorarme... *(Durante todo el parlamento siguiente, «El Merluza» está ahí, en medio de la habitación, y mientras Eva habla, todo en él va tomando un aire desolado, como de niño culpable que recibe una reprimenda por una falta cometida, que ya no puede reparar.)* Te hablo con cariño y me respondes con una ironía. Quiero ser sincera contigo y me rechazas, diciendo que miento. Hago lo posible por borrar entre nosotros todo signo que te recuerde tu... pobreza, pero insistes en recordártelo... (*«El Merluza» comienza a temblar. Es el niño desamparado que tiene frío, que tiene miedo. La mínima expresión, disminuida y triste, del niño de las ruinas, hambriento, desvalido, helado.)* No soy esa mujer rica, desalmada y frívola que pareces ver en mí... Soy una pobre mujer sola, muy sola... Ávida de amistad y cariño… Te ofrezco mi corazón, Beto. *(Va sobre él y le toma la cara.* «El Merluza» *tirita con todo el cuerpo. Un temblor que lo estremece, que no puede dominar.)* ¡Oh, mi amor, cálmate! ¡Cálmate…! Estoy aquí, contigo… Tu mujercita está aquí, contigo y te va a ayudar. Tu mujercita está aquí contigo y te va a dar todo el calor que te han negado. *(«El Merluza» mira ante sí al vacío.)* ¡Beto! ¡Beto, mírame! ¡Estoy aquí! ¡Te quiero! ¿Me oyes? Te quiero… ¡Beto, mírame! Beto… *(Lo sacude.)* ¡Mírame! ¡Por amor a Dios, mírame! *(Lo sacude más violentamente.)* ¡Te estoy hablando! ¡Escúchame…! *(Lo estremece.)* ¡Escúchame, maldito…! ¡Mírame!

(Nada. Cae a los pies de él. Lentamente, «El Merluza» *deja de temblar. Están así un largo rato. Sigue sonando* «El vals de las libélulas» *en el vacío.)*

«EL MERLUZA»—*(Después de la pausa.)* Todavía no me ha dicho cómo me queda la tenida de tenis.

(Lo dice sin mirarla. Con sus ojos fríos clavados en el vacío, frente a él. Eva lanza un grito.)

EVA—¡Ohhhh! ¡Tú no quieres que te ayuden! ¡Tu soberbia, tu orgullo es tan grande que no quieres que te ayuden! *(Eva se levanta, iracunda.)* Nadie se puede acercar a tu preciosa persona, ¿eh? ¡Bueno, yo te voy a decir lo que pareces con esa tenida! *(Se aleja de él. Toma las flores de papel y los demás objetos de papel y se los lanza a medida que grita.)* ¿Sabes lo que pareces? ¡Un monigote! ¡Un monigote ridículo y deforme! ¡Ni siquiera tienes pecho! ¡Ni siquiera tienes espalda! ¡Ni siquiera tienes el porte para ponerte una tenida así! ¿Cómo te atreves a meterte en eso? *(Espera su reacción, que no se produce.)* ¿Sabes lo que hay que tener para andar en eso? ¡Hay que tener los músculos blandos! ¡Largos músculos blandos y elásticos! ¡Movimientos seguros y decididos…! ¡Y no esa musculatura tuya, torcida y famélica, en la cual sólo cabe colgar espantapájaros! *(Espera otro momento. Se acerca a él. A su cara.)* ¡Tú no tienes espalda! ¡Tienes joroba…! *(Cae sollozando a sus pies. Con voz sollozante que apenas se oye.)* Tú no tienes músculos… Tienes… ganchos…

«EL MERLUZA»—*(Lejano, muy tenuemente, como recitando.)* Y entonces, desde la espesura, salió volando un pequeño pajarillo. Voló un instante sobre el verde follaje…

EVA—Oh…

«EL MERLUZA»—…sobre las escenas llenas de luz… Vuela, pequeño Corsario, le dije… *(Eva se tapa los oídos.)* ¡Vuela, pajarillo…! («El

Merluza» la mira con sonriente misericordia. Se sienta al lado de ella. Sentencioso.) El amor es la tregua entre dos agotamientos... El amor es la dentadura rota de una boca hambrienta... Qué me dice... ¿Le gustó? EVA—*(Lo mira con los ojos llorosos.)* Quiero que te vayas... *(«El Merluza» la mira, perplejo.)* ¿No entiendes que no quiero seguir este juego contigo?

«EL MERLUZA»—*(Genuinamente desolado.)* ¿Me está echando afuera?

EVA—¡Sí, sí, sí, sí, sí!

«EL MERLUZA»—¿Y qué voy a hacer?

EVA—¡No me importa! ¡Ándate!

«EL MERLUZA»—Se lo dije al Mario... Le dije: estos ricos se entregan pronto. A la primera contrariedad, eluden el bulto... *(Ríe.)* Se escabullen en una buena sinfonía o en una procesión del Carmen... «No» —me dijo— «Ésta no, porque es una solterona»... *(Eva lo mira espantada.)* Y ahora veo que no tenía razón.

EVA—¿Que tú le hablaste a alguien de mí?

«EL MERLUZA»—¿Porque dónde vamos a ir a parar con estos entreguismos tontos, digo yo? ¿Dónde vamos a ir a parar con estos conformismos? ¡Mmh! *(La mira.)* Para sentir el amor hay que sudarlo... ¿Sabe lo que vi hacer una vez a un mono en el circo? Ese mono trataba de llegar donde su mona, pero no podía, porque los habían separado en dos jaulas diferentes y se lo impedían los barrotes. Serían como la una de la tarde, cuando lo vi tratar de allegarse junto a ella por primera vez. En la noche todavía no lo había conseguido, pero seguía tratando. Tenía el pecho todo sanguinolento y los dientes mellados contra los hierros, pero aún persistía. Cuando lo consiguió, al fin, fue el día siguiente, cuando llevaron a la mona al sepelio de su compañero... ¿Triste, no?... Eso es amor, ¿ve? *(Tiene ganas de conversar. Se sienta a los pies de Eva, en el suelo. Cruza las piernas en actitud de hindú.)* Eso, naturalmente, siempre que el amor aún exista. San Simeón, el tonto del Puente de la Constitución, dice que no. En verdad, tampoco siquiera lo dice ya. Uno no hace más que deducirlo, dada su actitud tan... peculiar. Sabe lo que hace, o lo que no hace... Se está sentado noche y día sobre el pretil del puente, mirando al agua que pasa. Si uno le habla, nada. Si uno lo putea, nada. Si uno le grita *(Grita)* ¡Uuuuuh! ¡Nada!... Simplemente ya no le interesa nada. Ha llegado a ese estado de absoluto renunciamiento a la vida, donde ya ni siquiera la lucha es posible... Dicen que un día una paloma hizo nido en su sombrero, y que no se dio cuenta... Es leyenda, naturalmente, pero ilustra la situación, ¿no cree?... ¿No cree que la ilustra?

Eva—¿No oíste lo que te pedí?

«El Merluza»—¿Qué?

Eva—Que te fueras.

«El Merluza»—¿Usted cree eso? ¿Que hemos llegado a ese punto de desnutrición espiritual, donde ya ni siquiera la lucha es posible? *(Eva se levanta. Da un grito y huye hacia su dormitorio. Se encierra en él. «El Merluza» la mira huir, entre estupefacto y divertido.)* ¿Lo crees tú, Corsario? ¿Que hemos llegado a ese punto de desamor donde ya ni siquiera el amor es posible? *(Se acerca a la jaula. Le habla. Mientras la columpia a manotazos. Juega con ella, se divierte. La jaula casi golpea el techo. Los golpes son cada vez más violentos. A medida que habla. Como en una entrevista, ridiculizando los clichés.)* ¿Lo cree usted, señor Caracontento? ¿Que el alma humana, privada ya de todo consuelo, se encuentra en un lamentable estado de postración espiritual, donde ya ni siquiera la confianza mutua es posible»?... ¿Lo cree usted, señorita Sonrisa?... *(Da un manotón violento.)* ¿Lo crees tú, pájaro maricón?... ¿Ah?... ¿Qué dices?... ¿Lo crees tú, pájaro hijo de puta?... ¿No crees tú que volarte así de la pieza, sin despedirte siquiera, fue una mariconada muy grande, pájaro cabrón?... ¿Ah?... ¿Qué dices?... ¿Qué dices, mierda?... *(Grita.)* ¡Habla, maricón! ¡¡¡Habla!!!

(La jaula se destroza contra una pared.)

T E L Ó N

Escena vi

(La noche de ese día. Ya en la habitación no queda nada del decorado inicial. Todo está revuelto. Todo vuelto patas arriba. La cortina ya no está. En vez de ella, cuelgan pantalones de hombre. De esquina a esquina cuelgan guirnaldas hechas de camisas de hombre atadas de las mangas, entrelazadas de otras hechas de enaguas y corpiños alados. Muebles han sido compuestos de trozos de los muebles primitivos, unidos por retazos de chalecos de lana, frazadas y colchas desgarradas. Las lámparas que colgaban están de pie. Las que estaban de pie, cuelgan. Los muros están cubiertos de dibujos y figuras infantiles, hechas con tizones de corcho: «El gato», «El malo», «La mano», etc.... También hay dichos: «Yo soy bueno»... «Cristo es rey»... «Dios está a mi diestra»... «¡Viva yo!»... En esencia, nada está en su órbita. Un ciclón ha pasado por la habitación. Lo

*único que guarda alguna apariencia de arreglo premeditado son las flores
de papel, grandes flores de papel, nuevas y más numerosas, que cuelgan
profusamente aquí y allá, en el suelo.*

*(Eva, de pie en medio del desorden, se deja probar un traje de novia,
que «El Merluza» acomoda sobre su cuerpo con solícito cuidado.)*

«EL MERLUZA»—*(Clavando alfileres, sujetando ganchos.)* ¿Ve usted?
¿Ve usted que con un poco de esperanza, un poco de buena voluntad,
valía la pena escarbar el viejo baúl? Un poco apretado estaba, es
cierto... un poco arrugado, pero debemos concederle que nunca...
sospechó que alguna vez le tocaría... «una segunda oportunidad», ¿eh?
(Se aleja. Mira su obra.) ¿O fue por una primera que nunca fue?...
¿Mmh?... *(Ubica el pliegue.)* Ahí está. ¡Eso es! Un poco apretado en las
caderas, tal vez... Por culpa de las féculas, o los años... o los descuidos,
pero pasa la prueba, ¿no?... *(Ubica otro pliegue. El sastre que habla a su
cliente intima sugestivamente.)* No debimos meterlo tan hondo en el
baúl... Yo entiendo: por un tranvía que pasa, una mano sugestiva que
saluda a la huida o una palabra que no se dijo, o toda, toda, toda la
imaginación que se fue por la alcantarilla, lo condenamos a la hondura
del baúl, pero ¿y las campanas?... ¿Las pequenas campanas?... ¿Y las
risas a la entrada de la iglesia?... ¿Y el beso furtivo en la mejilla?...
«¡Adiós, María, que seas muy feliz!»... «¡Que te vaya bien!» ¿No cuenta
eso también? No debemos ser tan rotundos con el tiempo... Los
objetos también tienen derecho a tomar venganza... No podemos
esperar que todo tome su justa ubicación, si no le ayudamos un poco,
¿no cree? *(Se aleja. Se acerca nuevamente. Algo no le gusta en el
conjunto. Raja un costado del vestido.)* Tal vez es cuestión de rajar un
poco la tela para ver la carne. *(Rompe un trozo de la cretona del sillón,
que está en el suelo, a sus pies, y parcha con ella el trozo de tela desgarrada. Sonríe.)* ¡Las noviecitas...! ¡Las he observado...! Metido bajo el
arbusto del crespón, en el parque, al frente de la iglesia, las he visto, las
he mirado. No que tuviera algún sentimiento torcido, parecido a la
envidia o algo así... ¡no...! ¿Por qué iba a tenerlo cuando tenía
bastante papel y tijeras a mano? *(Baja otra parte del vestido y le parcha
otro trozo de tela de cretona.)* Vienen caminando por la hierba alta, casi
sin poner los pies, como si flotaran sobre las espigas de las teatinas...
como si vinieran vibrando por sobre la pradera húmeda... Un paso
cadencioso... todas radiantes... en suaves ondulaciones blancas,
serpenteando entre los troncos de las encinas. Directo hacia las gradas
irradiadas de sol... Directo hacia la mano enguantada. *(Le habla al
oído.)* Y ahí, en ese mismo momento, ante las miradas lascivas de todos

los enanos horribles, escondidos tras los ladrillos de los muros ocultos bajo el atrio en sombras, las he visto... ¡las he visto!... *(Se ahoga. Tiembla.)* ¡Las he visto... abrir... los pétalos de su cuerpo... y ofrecer! ¡Imagínese!... ¡Ofrecer!... *(Grita.)* ¡Ofrecer! *(Se calma.)* ¡Sus corolas vírgenes a la consumación del amor...! *(Un grito ahogado.)* ¡Oh, Dios!... *(Se controla. Vuelve a su tono de chanza. Desgarra una manga. La reemplaza por otra manga que hace de una tira de papel.)* Hay algunos que tienen otra visión del asunto, naturalmente. Fabián, por ejemplo... Un día estaba con él, bajo el arbusto. Se acababa de levantar por ahí unas latas de erizos, y nos disponíamos a tomarle el gusto... *(Recorta el ruedo de la falda a tijeretazos.)* Debo advertir que Fabián tiene una manera especialmente ruidosa de mover la boca cuando come... Una manera así, arrastrada de mascar... como si tuviera miedo que los alimentos se le fueran demasiado rápido hacia los intestinos y se le terminara demasiado pronto el placer de la de-gus-ta-ción. El hecho es que yo no sé si fue esa manera suya de mascar, digo, o mi particular estado tenso ese día, o la piedra bajo el codo... porque se me había metido una piedra bajo el codo... ¡una maldita piedra bajo el codo!... El hecho es que yo no sé si fue esa manera de mascar suya, como ya dije, o la piedra, o mi particular estado tenso... el hecho es que Fabián me irrita... ¡Me irrita hasta la locura, debo confesarlo!... No sé si sería eso, digo, o lo otro... la insolencia del tipo, ¿me comprende?... Su brutal, su bestial insensibilidad, o su manera de mascar, o la piedra, o mi particular estado tenso... El hecho es que, mirando hacia la iglesia, digo de pronto: «¡Mira!»... Y él me contesta: «¡Esas zorras!»... «Esas zorras», ¡imagine! Miré su jeta y vi el jugo de los erizos que bajaba de la comisura de su boca... y sus ojos inyectados en sangre, ¿me comprende? Y su ruidosa, desagradable, bochornosa, repugnante manera de mascar... El hecho es que algo se produjo dentro de mí, ¿me comprende? Un particular estado de tensión incontrolable... y agarré la otra lata de erizos que estaba abierta, pero no comida, ¿me comprende?... ¡Y se la estampé... se la grabé!... ¡Se la atornillé con lenguas de erizos y todo en su sucia jeta! *(Esto último a gritos. Se calma. Angelical.)* En ese momento sonaron las campanas de la iglesia y sentí que había hecho lo que tenía que hacer, ¿me comprende?... ¡Que había cumplido con mi deber!... ¡Porque tipos como Fabián no conocen, no intuyen, no conciben... el alcance... la totalidad maravillosa que significa la en-tre-ga-de la-vir-gi-ni-dad! *(Acentuando las palabras con falsa fonética, vacía enteramente de contenido.)* ¡La... más... es-plén-dida... oferta al amor!... *(Ríe. Le divierte su propia ocurrencia.)* ¡Amor, que es un puente roto, con un diente roto, con una manivela rota, que gira por los cuatro confines, rompiendo cráneos!... ¡Amor, que es un perro con tres patas!... Que es un vagabundo con una sola mano y dos plátanos... *(Ha roto gran parte de la falda y la está reemplazando con trozos de la cortina y pedazos de su propia camisa que ha desgarrado a tirones. La mira. Preocupado.)* ¿Qué le pasa? ¿Está tiritando? *(Eva tirita, con el mismo temblor de «El Merluza».)* ¿Tiene frío? ¿Tiene calor? ¿Qué es? *(Pausa. Espera.)* ¿Tiene deseos de dar una caminata con el novio feliz por la playa?... ¿Recogiendo conchitas?... ¿Tomados de la mano, recogiendo vírgenes blancas?... ¿Discutiendo el número y el sexo, y el número, y el nombre, y el número, y el sexo de los hijos que la espléndida oferta les va a dar?... ¿Discutiendo la posición de los muebles... de las cretonas... de los colores... de las «nomejoraquí», «nomejorallá»... de las formas... de las cretonas... de los muebles... *(Su voz va creciendo en aceleración.)* ¡De las posiciones!, ¡de las cretonas!, ¡de las formas!, de los números, de los hijos, de los muebles... de las formas... de los hijos... ¿Ha-blan-do-del-amor?... ¡Amor con a, con m, con r, con x, con u, con lengua, con todo, con fuerza, sin fuerza! ¡Las posibilidades... de ser!... ¡de alcanzar!... ¡de huir!... ¡del amor!... ¡de la soledad¡... ¡de la muerte!... ¡con lengua!... ¡llegar!... ¡llegar!... ¡llegar! *(Gritando.)* ¡Llegar!... ¡Llegar!... ¡Lleeeeegaaaaar!... *(Jadea.)* ¿Es eso? ¿Es ése el secreto que guarda la hielera?... *(Del traje de novia original sólo queda ahora el velo. El resto es un guiñapo de retazos.)* Es cómico. Ahora somos dos hermanitos. *(Se arranca del cuerpo el resto de la camisa. Se cubre la cabeza con una roseta de papel, de la que cuelgan, largas tiras a modo corona, y que le llegan hasta la cintura. Toma una madera de mueble a manera de lanza y la blande.)* ¡Soy un «Ukelele», el guerrero simba! *(Gira alrededor de Eva haciendo contorsiones grotescas y muecas divertidas.)* ¡Uku! ¡Azahambá! ¡Humba!... ¡Tekeke!... ¡Takamba!... ¡Tumba!... ¡Anoche me zampé una monja blanca y tenía gusto a jabón!... *(Ríe. Se mira las manos.)* ¡Había cortado a la monjita en pedacitos, no más grandes que un dado de caldo de carne, y me estuve toda la noche probando cuál de mis manos podía contener más daditos!... *(La mira como un orangután curioso podría mirar a su presa, con curiosidad simiesca. Acerca su cara a la de Eva.)* «Comment allez vous, madame?»... ¿Dijo algo?

EVA—*(Con esfuerzo.)* Yo...

«EL MERLUZA»—¿Sí?

EVA—Yo...

«EL MERLUZA»—¿Sí?

EVA—Yo sólo...

«EL MERLUZA»—Usted sólo... ¿sí?...

EVA—Yo sólo...

«EL MERLUZA»—Usted sólo, ¿sí?... Ya lo dijo... Usted sólo...

EVA—Yo sólo...

«EL MERLUZA»—¿Sí?... *(Eva trata de hablar, pero no puede. Hace un par de amagos que se frustran, luego desiste. Pausa.)* Usted sólo quería quererme y que yo la quisiera. ¿Es eso? *(Eva asiente débilmente.)* Sí. Pero es tarde para eso. «Ukelele» tiene sus tripas en sus manos y ya no sabe qué hacer con ellas... *(Pone una de las grandes flores de papel en el escote de Eva, que le cubre toda la cara, y enlaza el brazo de ella en el suyo.)* ¿Vamos? *(Suenan golpes en la puerta. Grita.)* ¡Sí! ¡Ya vamos! *(Mira a Eva, con solícito cuidado, como novio muy considerado.)* ¿Está lista?... *(De pronto se espanta.)* ¿Qué está haciendo? ¿Está llorando? ¿Está riendo?... ¡Llorando?... ¡Riendo?... ¡No llore!... ¡No ría!... ¡No llore, le digo! *(Grita cada vez más fuerte.)* ¡No ría¡ ¡Nooo! ¡Lloooore!... ¿Que no ve que si llora esto no es cierto? *(De pronto su semblante cambia súbitamente, como ya estamos acostumbrados de ver en él. Sentencioso. Vacío. Rimbombante.)* Como ve, es de la mayor importancia haber entendido el juego. Creer el uno en el otro. Confiar mutuamente. Renunciar a su propia identidad, en beneficio de la identidad del prójimo, hasta que la propia identidad y la identidad del otro y la propia identidad... propia... identidad... del prójimo... identidad... propia... ¿No cree?... *(Eva asiente débilmente.)* ¿Está lista entonces? *(Eva está lista. Resuenan los sones de la «Marcha Nupcial», de Mendelsohn. Inician la marcha. «Ukelele», muy tieso, patético casi en su dignidad, desnudo, cubierto sólo de tiras; en la cabeza, su corona de tiras de papel. Eva, a su lado, tomada de su brazo, ausente, perdida, bajo su inmensa flor de papel. Sólo el velo hermoso es real en ella.)* Antes que lleguemos allá, creo que debo ponerla al corriente de la geografía del río, de los peligros que ella ofrece. Hay por ahí unos bajos engañosos, por los cuales, en las noches de plenilunio, cuando el río viene cuajado de muebles rotos, mucha gente, al caer, se ha roto el espinazo.

(Salen. En la habitación reina ahora el desorden total. Todo está roto, deshecho. Sólo queda en ella la nueva belleza. Las toscas, enormes, desgarradas flores de papel.)

TELÓN

Bibliografía Selecta

La presente bibliografía, actualizada para esta edición, contiene referencias a estudios, historias y bibliografías que figuran, a nuestro parecer, entre los más importantes hasta ahora publicados sobre el teatro hispanoamericano en general, y sobre los tres dramaturgos presentados en este volumen en particular. Para una documentación más exhaustiva, véanse las bibliografías abajo citadas de Lyday/ Woodyard y de Roster/de Toro.

A. Estudios Generales

Arrom, José Juan. *Historia del teatro hispanoamericano: Epoca colonial.* México: Edics. de Andrea, 1967.

Albuquerque, Severino João. *Violent Acts.* Detroit: Wayne State UP, 1991.

Dauster, Frank. *Ensayos sobre teatro hispanoanoericano.* México: SepSetentas, 1975.

_____. *Historia del teatro hispanoamericano: Siglos XIX y XX.* 2ª ed. México: Edics. de Andrea, 1973.

_____. *Perfil generacional del teatro hispanoamericano.* Ottawa: Girol Books, 1993.

_____, ed. *Perspectives on Contemporary Spanish American Theatre.* Lewisburg: Bucknell UP, 1996.

Eidelberg, Nora. *Teatro experimental hispanoamericano 1960-1980: La realidad social como manipulación.* Minneapolis: Institute for the Study of Ideologies and Literatures, 1985.

Giella, Miguel Angel. *De dramaturgos: Teatro latinoamericano actual.* Buenos Aires: Corregidor, 1994.

Luzuriaga, Gerardo. *Del Absurdo a la Zarzuela: glosario dramático, teatral y crítico.* Ottawa: Girol Books, 1993.

_____. *Introducción a las teorías latinoamericanas de teatro. 1930 al presente.* Puebla: Univ. Autónoma de Puebla, 1990.

_____. *Popular Theatre for Social Change in Latin America.* Los Angeles: UCLA Latin American Center Publications, 1978.

Lyday, Leon y George Woodyard. *A Bibliography of Latin American Theatre Criticism.* Austin: Institute of Latin American Studies, U of Texas, 1976.

_____, eds. *Dramatists in Revolt: The New Latin Amerian Theatre.* Austin: U of Texas P, 1976.

Meléndez, Priscilla. *La dramaturgia hispanoamericana contemporánea: Teatralidad y autoconciencia.* Madrid: Pliegos, 1990.

Neglia, Erminio G. *Aspectos del teatro moderno hispanoamericano.* Bogotá: Editorial Stella, 1975.

_____. *El hecho teatral en Hispanoamérica.* Roma: Bulzoni, 1985.

Ordaz, Luis. *Aproximación a la trayectoria de la dramática argentina.* Ottawa: Girol Books, 1992.

Pellettieri, Osvaldo, comp. *Teatro latinoamericano de los 70. Autoritarismo, cuestionamiento y cambio.* Buenos Aires: Corregidor, 1995.

Perales, Rosalina. *Teatro hispanoamericano contemporáneo. 1967-1987.* 2 vols. México: Grupo Editorial Gaceta, 1989-1993.

Pianca, Marina. *Testimonios de teatro latinoamericano.* Buenos Aires: Grupo Editor Latinoamericano, 1991.

Rojo, Grinor. *Orígenes del teatro hispanoamericano contemporáneo.* Valparaíso: Ediciones Universitarias, 1972.

Roster, Peter y Fernando de Toro. *Bibliografía del teatro hispanoamericano (1900-1980).* 2 vols. Frankfurt am Main: Verlag Klaus Dieter Vervuert, 1985.

Taylor, Diana. *Theatre of Crisis. Drama and Politics in Latin America.* Lexington: U of Kentucky P, 1991.

_____ y Juan Villegas, eds. *Negotiating Performance: Gender, Sexuality and Theatricality in Latin America.* Durham: Duke UP, 1994.

Toro, Fernando de. *Brecht en el teatro hispanoamericano contemporáneo.* Ottawa: Girol Books, 1984.

Villegas, Juan. *Ideología y discurso crítico sobre el teatro de España y América Latina.* Minneapolis: Prisma Institute, 1988.

Zayas de Lima, Perla. *Diccionario de autores teatrales argentinos (1950-1990).* Buenos Aires: Galerna, 1991.

～

B. Los Dramaturgos

1. Xavier Villaurrutia

Piezas [N. Ed.: Esta lista de obras no pretende ser exhaustiva; es más bien una selección de las obras más representativas a través de una trayectoria de más de veinte años. Las fechas se refieren al año en que se escribió la pieza.]

1933	*Parece mentira*
1934	*¿En qué piensas?*
1940	*Invitación a la muerte*
1942	*La hiedra*
1944	*El yerro candente*
1945	*El solterón*
1946	*El pobre Barba Azul*
1949	*Juego peligroso*
1950	*La tragedia de las equivocaciones*

Estudios

Bellini, Giuseppe. *Teatro messicano del novecento*. Milano: Instituto Editoriale Cisalpino, 1959.

Cypess, Sandra M. «The Function of myth in the Plays of Xavier Villaurrutia». *Hispania* 55:2 (May 1972), 256-63.

Dauster, Frank. *Xavier Villaurrutia*. New York: Twayne, 1971.

Kuehne, Alyce de. «Xavier Villaurrutia, un alto exponente de Pirandello». *Revista Iberoamericana* 34:66 (jul.-dic. 1968), 313-22.

Roster, Peter J. «*Parece mentira* como ejemplo del metateatro». Rafael Olea Franco and Anthony Stanton (eds.). *Los Contemporáneos en el laberinto de la crítica*. México: Colegio de México, 1994, 131-38. Con algunas modificaciones, también como «El metateatro como elemento renovador: *Parece mentira* de Xavier Villaurrutia». Sandra M. Cypess y Kirsten Nigro (eds.) *Studies in Honor of Frank Dauster*. Newark (Delaware): Juan de la Cuesta Hispanic Monographs (Homenajes Nº 9), 1995, 195-205.

_____. «Metatheatre and Parody in the Generation of 1924: The Cases of Arlt and Villaurrutia». Frank Dauster (ed.) *Perspectives on Contemporary Spanish American Theatre*. Lewisburg: Bucknell UP, 1996, 109-25.

Shaw, Donald L. «Pasión y verdad en el teatro de Villaurrutia». *Revista Iberoamericana* 28:54 (jul.-dic. 1962), 337-46.

Snaidas, Adolfo. *El teatro de Xavier Villaurrutia*. México: SepSetentas, 1973.

Villegas, Juan. «*La hiedra* de Xavier Villaurrutia». *Explicación de Textos Literarios* 16:1 (1987-88), 18-27.

2. GRISELDA GAMBARO

PIEZAS

1963	*Las paredes*
1965	*El desatino*
1968	*El campo*
1970	*Los siameses*
1972	*Nada que ver*
1972/73	*Dar la vuelta*
1973	*Información para extranjeros*
1974	*Puesta en claro*
1975	*Sucede lo que pasa*
1980	*Real envido*
1981	*La malasangre*
1981	*Decir sí*
1983	*Del sol naciente*
1985	*El despojamiento*
1986	*Antígona furiosa*
1989	*Morgan*
1990	*Desafiar al destino*
1990	*Penas sin importancia*

ESTUDIOS

Carballido, Emilio. «Griselda Gambaro o modos de hacernos pensar en la manzana». *Revista Iberoamericana* 36:73 (oct.-dic. 1970), 629-34.

Cypess, Sandra M. «Frankenstein's Monster in Argentina: Gambaro's Two Versions». *Revista Canadiense de Estudios Hispánicos* 14:2 (1990), 349-61.

_____. «The Plays of Griselda Gambaro». Leon Lyday y George Woodyard (eds.) *Dramatists in Revolt: The New Latin American Theater.* Austin: U of Texas P, 1976, 95-109.

Foster, David W. «Dramatic Action in the Plays of Griselda Gambaro». *Hispanic Journal* 1:2 (Spring 1980), 57-66.

Gerdes, Dick. «Recent Argentine Vanguard Theatre: Gambaro's *Información para extranjeros*». *Latin American Theatre Review* 11:2 (Spring 1978), 11-16.

Giella, Miguel Angel. «El victimario como víctima en *Los siameses* de Griselda Gambaro». *Gestos* 2:3 (abril 1987), 77-86. También en Miguel Angel Giella, *De dramaturgos: teatro latinoamericano actual.* Buenos Aires: Corregidor, 1994, 129-40.

Holzapfel, Tamara. «Griselda Gambaro's Theatre of the Absurd». *Latin American Theatre Review* 4:1 (Fall 1970), 5-11.

McAleer, Janice. «*El campo* de Griselda Gambaro». *Revista Canadiense de Estudios Hispánicos* 7:1 (Otoño 1982), 159-71.

Mazziotti, Nora (ed.). *Poder, deseo y marginación.* Buenos Aires: Puntosur, 1989.

Picón Garfield, Evelyn. «Una dulce bondad que atempera las crueldades: *El campo* de Griselda Gambaro». *Latin American Theatre Review* 13:2 (Supplement, Summer 1980), 95-102.

Taylor, Diana (ed.). *En busca de una imagen: Ensayos críticos sobre Griselda Gambaro y José Triana.* Ottawa: Girol, 1989.

3. EGON WOLFF

PIEZAS

1960	*Parejas de trapo*
1962	*Los invasores*
1966	*Mansión de lechuzas*
1966	*Niñamadre*
1970	*Flores de papel*
1971	*Discípulos del miedo*
1971	*El signo de Caín*
1978	*Kindergarten*
1981	*Espejismos*
1982	*Álamos en la azotea*

1983   *El sobre azul*
1984   *La balsa de la Medusa*
1986   *Háblame de Laura*
1993   *Invitación a comer*
1994   *Cicatrices*

ESTUDIOS

Bravo-Elizondo, Pedro. «Reflexiones de Egon Wolff en torno al estreno de José», *Latin American Theatre Review* 14.2 (Spring 1981), 65-70.

Castedo-Ellerman, Elena. «Variantes de Egon Wolff: Fórmulas dramática y social», *Hispámerica* 5.15 (1976), 15-38.

_____. «Egon Wolff». *Latin American Writers*, III, Carlos A. Solé y Maria Isabel Abreu, eds. New York: Charles Scribner's Sons, 1989, 1311-1315.

Chrzanowski, Joseph. «Theme, Characterization and Structure in *Los invasores*», *Latin American Theatre Review* 11.2 (Spring 1978), 5-10.

Higuero, Francisco Javier. «Metateatralidad y significado en la obra dramática de Egon Wolff». *Hispanic Journal* 14.2 (Fall 1993), 131-43.

López, Daniel. «Ambiguity in *Flores de papel*», *Latin American Theatre Review* 12.1 (Fall 1978), 43-50.

Lyday, Leon F. «Egon Wolff's *Los invasores*: A Play within a Dream», *Latin American Theatre Review* 6.1 (Fall 1972), 19-26.

_____ «Whence Wolff's Canary? A Conjecture on Commonality», *Latin American Theatre Review* 16.2 (Spring 1983), 23-29.

Mocega-González, Esther P. «El concepto de revolución social en dos dramas de Egon Wolff». *Explicación de Textos Literarios* 14.1 (1985-86), 3-13.

Peden, Margaret Sayers. «Three Plays of Egon Wolff». *Latin American Theatre Review* 3.1 (Fall 1969), 29-35.

_____. «The Theater of Egon Wolff». *Dramatists in Revolt: The New Latin American Theater*, Leon Lyday y George Woodyard, eds. Austin: University of Texas Press, 1976, 190-201.

_____ «*Kindergarten*, a New Play by Egon Wolff», *Latin American Theatre Review* 10.2 (Spring 1977), 5-10.

Piña, Juan Andrés. «El teatro de la destrucción y la esperanza». *Teatro de Egon Wolff.* Santiago de Chile: Nascimento, 1978.

_____. «El retorno de Egon Wolff», *Latin American Theatre Review* 14.2 (Spring 1981), 61-64.

Rodríguez S., Orlando. «Art and Antiart in Egon Wolff's *Flores de papel*», *Latin American Theatre Review* 18.1 (Fall 1984): 65-75.

Roster, Peter J. «Los personajes de Egon Wolff o Los vetustos pilares de la felicidad». Pedro Bravo-Elizondo, ed. *La dramaturgia de Egon Wolff. Interpretaciones críticas (1971-1981).* Stgo. de Chile: Nascimento, 1985, 93-103».

Vidal, Hernán. «*Los invasores:* Egon Wolff y la responsabilidad social del artista católico», *Hispanófila* 55 (1975), 87-97.

Woodyard, George. «Prólogo», *Teatro completo de Egon Wolff.* Boulder: Society of Spanish and Spanish-American Studies, 1990, vii-xviii.

～   ～   ～

ÍNDICE

GIROL BOOKS INC

P.O. Box 5473, Station F, Ottawa, Ontario, Canada. K2C 3M1.
120 Somerset St. West, Ottawa, Ontario, Canada. K2P 0H8.
Tel./Fax: (613) 233-9044
info@girol.com

Textos Esenciales del Teatro Hispánico

9 dramaturgos hispanoamericanos: antología del teatro del siglo xx. Tomo I (0-919659-37-3) 224 pp. 2ª edición revisada y actualizada (1997). En el primer tomo de esta ya clásica antología aparecen obras de R. Usigli *(Corona de sombra)*, O. Dragún *(El amasijo)* y J. Triana *(La noche de los asesinos)*. También contiene una introducción, «El teatro contemporáneo en Hispanoamérica», además de una presentación y bibliografía selecta sobre cada autor.

9 dramaturgos hispanoamericanos: antología del teatro del siglo xx. Tomo II (0-919659-38-1). 2ª edición revisada y actualizada (1998). En el segundo tomo aparecen obras de X. Villaurrutia *(Parece mentira* y *¿En qué piensas?)*, G. Gambaro *(Los siameses)*, y E. Wolff *(Flores de papel.)* También incluye una introducción y bibliografía selecta sobre cada uno de estos destacados dramaturgos.

9 dramaturgos hispanoamericanos: antología del teatro del siglo xx. Tomo III (0-919659-39-X). 2ª edición revisada y actualizada (1998). El tercer tomo incluye obras de Puerto Rico, Chile y México: de René Marqués *(Los soles truncos)*, Jorge Díaz *(El cepillo de dientes)* y Emilio Carballido *(Yo también hablo de la rosa.)* También hay una introducción y bibliografía.

3 dramaturgos rioplatenses: antología del teatro del siglo xx. Tomo IV (0-919659-07-3) 212 pp. El cuarto volumen de la serie, reúne a tres dramaturgos fundamentales para el estudio del desarrollo del teatro rioplatense: F. Sánchez *(Barranca abajo)*; R. Arlt *(Saverio el cruel)*; y E. Pavlovsky *(El señor Galíndez).*

7 dramaturgos argentinos: antología del teatro del siglo xx. Tomo V (0-919659-07-1) 218 pp. Estas 7 piezas en un acto cuentan entre las más representativas de Teatro Abierto 1981. Los autores y las obras son: R. Cossa *(Gris de ausencia)*, O. Dragún *(Mi obelisco y yo)*, G. Gambaro *(Decir sí)*, C.

Gorostiza *(El acompañamiento)*, R. Halac *(Lejana tierra prometida)*, R. Monti *(La cortina de abalorios)* y C. Somigliana *(El nuevo mundo)*.

Dragún, O. *Historias para ser contadas*. (Edición completa.) (0-919659-00-4) 40 pp.
Una de las obras más representadas y más actuales del teatro argentino. Incluye una introducción del autor.

Dragún, O. *Hoy se comen al flaco. Al violador*. (0-7709-0118-2) 178 pp.
Son dos obras que ejemplifican la modalidad metafórica y absurdista del autor con el siempre presente extratexto de la realidad sociopolítica argentina. Con entrevistas y bibliografía.

Gambaro, G. *Nada que ver. Sucede lo que pasa*. (0-919659-05-5) 182 pp.
Dos obras de la dramaturga más conocida y más respetada de Hispanoamérica. Con entrevistas y bibliografía.

Monti, R. *Una pasión sudamericana. Una historia tendenciosa*. (Nueva versión.) (0-919659-26-8) 144 pp.
Con estudio preliminar de Osvaldo Pellettieri.

Rovner, E. *Compañía*. Kartun, M. *El partener*. (0-919659-27-6) 96 pp.
Con estudios preliminares de Frank Dauster y Osvaldo Pellettieri.

Talesnik, R. *La fiaca. Cien veces no debo*. (Nueva versión) (0-7709-0106-9) 194 pp.
La fiaca es una de esas obras que va cobrando importancia y actualidad mientras más nos alejamos de su tiempo de escritura. Con entrevista y bibliografía. Estudio preliminar de Saúl Sosnowsky.

Del parricidio a la utopía: el teatro argentino actual en 4 claves mayores. (0-919659-28-4) 216 pp.
Incluye obras de: R. Monti, *Una noche con Magnus e hijos* (nueva versión); R. Perinelli, *Miembro del Jurado*; E. Rovner, *Cuarteto*; M. Kartun, *Salto al cielo*. Con estudio preliminar de O. Pellettieri.

Teatro y folletines libertarios rioplatenses (1895-1910): Estudio y Antología. (0-919659-32-2) 223 pp. 1996.
Incluye el texto completo e inédito de Florencio Sánchez ¡*Ladrones!* y las siguientes obras de Bianchi, *Nobleza de esclavo*; Bori, *Sin patria*; De Lidia, *Fin de fiesta*; Locascio, *La fiesta del trabajo*; Grijalvo, *Héroe ignorado*; Silva, *Los mártires*; Layda, *Redimida*; González, *El suplicio de Laura*; González, *La expósita*; Ravel, *El conventillo*. Con estudio preliminar y bibliografía de Eva Golluscio de Montoya.

6 dramaturgos españoles del siglo xx: teatro de liberación. Tomo I (84-87015-00X) 293 pp.
Esta antología contiene, además de estudios preliminares de J. Monleón, R. Morodo, D. Miras, y D. Ladra, las siguientes obras: R. Alberti *(El hombre deshabitado)*, F. García Lorca *(La casa de Bernarda Alba)* y A. Sastre *(En la red)*.

6 dramaturgos españoles del siglo xx: teatro en democracia. Tomo II (84-87015-02-6) 358 pp.
El segundo tomo tiene una selección de obras que cuentan entre las mejores de los últimos 20 años. F. Nieva *(La señora Tártara)*; F. Fernán Gómez *(Las bicicletas son para el verano)*; M. Alonso de Santos *(Bajarse al moro)*. Con introducciones de P. Altares, D. Ladra, D. Ynduráin, y J. Monleón.

Teoría y Crítica

Dauster, F. *Perfil generacional del teatro hispanoamericano (1894-1924): Chile, México, el Río de la Plata.* (0-919659-24-1) 245 pp. 1993.
En este estudio el autor aplica la teoría generacional a la producción teatral de tres centros hispanoamericanos.

Ordaz, L. *Aproximación a la trayectoria de la dramática argentina: desde los orígenes nacionales hasta la actualidad.* (0-919659-25-X) 1992.
«Este texto ... orientará a lectores de nuestro país y del exterior, sobre los distintos aspectos de nuestro teatro». O. Pelletieri.

Taylor, D., ed. *En busca de una imagen: ensayos críticos sobre Griselda Gambaro y José Triana.* (0-919659-19-5) 195 pp. 1989.
Este libro reúne una serie de ensayos, entrevistas, bibliografías y materiales inéditos que enfocan de manera distinta la obra teatral de estos destacados dramaturgos.

Pellettieri, O. *Teatro argentino actual.* Cuadernos del Grupo de Estudios Argentino, Cuadernos GETEA, 1. (0-919659-22-5) 90 pp. 1990.
Una serie de ensayos por los integrantes del Grupo de Estudios de Teatro Argentino de la Facultad de Filosofía y Letras (UBA) los cuales esclarecen el panorama del teatro actual en Argentina.

Villegas-Morales, J. *Nueva interpretación y análisis del texto dramático.* Teoría, 4. (0-919659-21-7) 152 pp. 1991.

Este estudio constituye una extraordinaria síntesis, una integración coherente y sistemática de las teorías sobre el texto dramático y el texto teatral de los últimos veinte años.

Villegas-Morales, J. *Teoría de historia literaria y poesía lírica.* Teoría, 3. (0-919659-09-8) 124 pp. 1984.

En la primera parte del libro, Villegas describe maneras de emplear rasgos estructurales y formales de la poesía para desarrollar nuevos modos de definir períodos literarios. La segunda parte especifica concretamente cómo esta orientación puede servir para configurar una historia.

Glosario

Luzuriaga, G. *Del Absurdo a la Zarzuela: glosario dramático, teatral y crítico.* (0-919659-36-5) 132 pp. 1993.

Este glosario cubre conceptos selectos relacionados con la naturaleza del texto dramático, los géneros y estilos dramáticos, la teoría sobre el drama y el teatro, las técnicas y estilos de la representacíon teatral, y la historia del teatro, desde sus orígenes hasta nuestros días.

the complete unpublished text of

¡Ladrones!

by

FLORENCIO SÁNCHEZ

in

Teatro y folletines libertarios rioplatenses (1895-1910) [Estudio y Antología]

Edition, introductory study and bibliography by
Eva Golluscio de Montoya

Nobleza de esclavo	E. Bianchi
Sin patria	P. Bori
Fin de fiesta	P. de Lidia
La fiesta del trabajo	S. Locascio
Héroe ignorado	A. Grijalvo
Los mártires	D. Silva
Redimida	Felipe Layda
El suplicio de Laura	J.D. González
La expósita	J.D. González
El conventillo	Elam Ravel

ISBN 0-919659-32-2

3 dramaturgos rioplatenses

El cuarto volumen de la serie Antología del Teatro Hispanoamericano, reúne a tres tramaturgos fundamentales para el desarrolo del teatro rioplatense.

Florencio Sánchez, uruguayo, es considerado uno de los fundadores del teatro argentino contemporáneo. su obra está centrada en un período crítico de la vida argentina, en el que el impacto de la inmigración y la «modernización» dejan su huella dramática en diversos sectores sociales del país. *Barranca abajo*, obra señera del realismo crítico, resume las tensiones de la época en personajes de gran vitalidad y riqueza.

En **Roberto Arlt**, se destaca la originalidad e inteligencia de su percepción del mundo. *Saverio el cruel*, el pequeño comerciante elevado a rey por obra y gracia de la locura y del teatro, es uno de los grandes personajes de la dramaturgia argentina de este siglo.

Eduardo Pavlovsky profundiza experiencias creando un teatro de gran penetración sicológica, en el nivel de los personajes, y de características casi rituales, en el nivel de la vida social. *El señor Galíndez* es una obra especialmente representativa de ello. Centrado en el fenómeno de la tortura, nos revela el mundo de los torturadores y su lógica desquiciada, desde un ángulo en que nuestra incertidumbre termina transformándose en certeza y luego en miedo.

ISBN 0-919659-07-3

7 dramaturgos argentinos

En el presente volumen, quinto de la serie Antología del Teatro Hispanoamericano del Siglo XX, Girol ofrece al lector, siete obras del ciclo llamado **Teatro Abierto 1981**.

Teatro Abierto, uno de los eventos más importantes de la escena argentina de los últimos años, reunió a varios de los más notables dramaturgos contemporáneos, desde **Carlos Gorostiza** hasta **Ricardo Monti**, pasando por **Osvaldo Dragún, Griselda Gambaro, Ricardo Halac, Carlos Somigliana, Roberto Cossa**, y muchos otros.

La serie de piezas en un acto se mantuvo en cartelera durante casi tres meses, provocando una serie de reacciones inesperadas tales como el incendio del Teatro del Picadero al octavo día de estarse representando las obras y un éxito de público que no se veía desde hacía muchos años.

Las obras de este volumen son una muestra de lo que fue Teatro Abierto 1981, y en ellas el lector podrá apreciar la variedad de intenciones y estilos actualmente vigentes en la dramaturgia argentina, así como también su indiscutible perspectiva común.

Las obras aquí presentadas son: *Gris de ausencia, Mi obelisco y yo, Decir sí, El acompañamiento, Lejana tierra prometida, La cortina de abalorios* y *El nuevo mundo*.

ISBN 0-919659-07-1

Luis Ordaz
Aproximación
a la Trayectoria Dramática Argentina:
desde los orígenes nacionales
hasta la actualidad

Luis Ordaz, manifestó desde su juventud una inquietud sobresaliente hacia el mundo del teatro y los fenómenos que rodean al espectáculo, mostrando siempre una madurez prematura que le irían llevando a esa categoría de maestro del que hoy goza.

Como presidente de ACITA (Asociación de Críticos e Investigadores Teatrales de la Argentina), o formando parte de la directiva, siguió ejerciendo un magisterio ejemplar entre sus colaboradores y discípulos.

Como crítico e investigador, destacamos su Historia del Teatro Rioplatense (Buenos Aires, Futuro, 1946) que supuso un replanteamiento de la historiografía teatral. Asimismo, sistematizó los períodos, adujo nuevas fuentes y fue el primero que se ocupó del teatro independiente. Se destacan sus estudios sobre fenómenos populares del teatro argentino, y sus opiniones sobre la faceta creativa de Armando Discépolo. Su dimensión crítica se ha manifestado en diversos trabajos y publicaciones y, muy especialmente, en El teatro argentino (Buenos Aires: CEAL, 1971) y en las dos ediciones de Capítulo, la historia de la literatura argentina (Buenos Aires: CEAL, 1967, 1985). Fue el primero que se planteó la historia del teatro argentino como problema y muchos de sus hallazgos han quedado ya como definitivos.

En Aproximación a la Trayectoria Dramática Argentina: desde los orígenes nacionales hasta la actualidad, se condensan eminentemente toda su labor investigadora y crítica anterior. En este libro Luis Ordaz se consagra como el maestro, a quienes todos los estudiosos debemos un agradecido reconocimiento. Como dice Osvaldo Pelletieri en el prólogo: «Seguramente este texto tendrá la misma suerte de los anteriores: orientará a lectores de nuestro país y del exterior, sobre los distintos aspectos de nuestro teatro. El maestro sigue con nosotros y nos da una nueva lección».

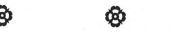

ISBN 0-919659-25-X

Del

*A*bsurdo a la *Z*arzuela:

Glosario

DRAMÁTICO, TEATRAL Y CRÍTICO

GERARDO LUZURIAGA

Del Absurdo a la Zarzuela cubre conceptos selectos relacionados con la naturaleza del texto dramático, los géneros y estilos dramáticos, la teoría y crítica sobre el drama y el teatro, las técnicas y estilos de la representaciónteatral, y la historia del teatro, desde sus orígenes hasta nuestros días. El lector encontrará en este léxico teatral ilustrado una información muy variada, fundamentada en las poéticas tradicionales más sólidas y en las contribuciones teóricas recientes más valederas: acerca de la idea de catarsis en Aristóteles, la del gusto en Lope de Vega o la del *gestus* en Bertolt Brecht, por ejemplo, o acerca de la función del coro en las tragedias griegas clásicas o la del «comodín» en el «teatro del oprimido» actual, o también acerca de nociones tales como sofista, apoteosis, decorado acústico, pacto teatral o pánico escénico..., más de 400 definiciones en total. Algunas de ellas constituyen breves ensayos que iluminan asuntos tan útiles como estructura dramática o tan ambiguos como teatro popular y discurso teatral.

El autor sugiere que el glosario puede ser leído en forma orgánica, para lo cual propone cuatro áreas semánticas con sus respectivas listas de términos. Otros elementos pedagógicos de interés son un apéndice para angloparlantes, que señala las correspondencias inglesas de los principales vocablos castellanos, y una bibliografía comentada. A esto habría que añadir la claridad de las definiciones y en particular la secreta organicidad conceptual, que es la espina dorsal de este libro y que lo acredita como singularmente idóneo para uso en el aula como texto de introducción a los estudios de teatro español o latinoamericano en el nivel de Licenciatura.

Gerardo Luzuriaga es investigador y profesor de teatro latino-americano en la University of California, Los Angeles. Ha publicado numerosos artículos y libros, entre los cuales cabe destar: *Los clásicos del teatro hispanoamericano, Popular Theater for Social Change in Latin America* e *Introducción a las teorías latinoamericanas del teatro.*

ISBN 0-919659-36-5

Frank Dauster
Perfil generacional del teatro hispanoamericano (1894-1924) Chile, México, El Río de la Plata

No es el propósito principal de este libro hacer una historia del teatro hispanoamericano del último siglo, aunque es la materia que ronda, ni de presentar una serie de ensayos sobre diversos dramaturgos, a pesar de que es en parte la metodología empleada. La meta que perseguimos es averiguar hasta dónde se puede aplicar al panorama teatral hispanoamericano la teoría generacional. Nadie puede negar las marcadas diferencias sociales, étnicas y hasta lingüísticas entre las diversas repúblicas hispanoamericanas, pero tampoco deben ignorarse las profundas relaciones, desde hablar variantes de un mismo idioma hasta compartir una inmensa cantidad de bagaje cultural, económico y social. A pesar de las innegables y profundas diferencias, existe una comunidad hispanoamericana que abarca, entre todos los demás sectores de la actividad humana, al teatro. Hasta qué punto la expresión teatral de esta de comunidad se plasma en formas comunes es lo que aquí se propone estudiar.

Es sorprendente la frecuencia con la cual se emplea el método generacional o algo que se le parece, aun en la obra de críticos no normalmente asociados con la teoría; y también es sorprendente hasta qué punto el método generacional se ha difundido, a veces en autores que no manejan la teoría de modo orgánico.

Nos anima el deseo de averiguar en qué medida se puede hablar de un lenguaje generacional en el sentido más amplio. Es decir, qué es lo que tienen en común los diversos miembros de cada generación, pensando en sus semejanzas y diferencias de experiencia vital, y cómo se plasma en forma teatral y dramática su «peculiar sensibilidad, en un repertorio orgánico de íntimas propensiones».

Un problema especial para el crítico de teatro es el hecho de que cada producción es distinta, lo cual conduce a versiones en extremo variadas del mismo texto, según el elenco, la visión del director, las escuelas estéticas de moda, la situación socio-económica-histórica, etc. Los signos de todo texto son múltiples y polifacéticos, lo cual no quita que algunos textos sean más ricos que otros.

Frente a tales dificultades y la imposibiliad de presenciar cuanta versión distinta se presenta de todo texto teatral, el crítico no tiene más remedio que incorporar a su estudio todas las posibles lecturas del texto que estudia a la luz de sus propias capacidades y la documentación asequible, recordando que a fin de cuentas cada obra está escrita y presentada dentro de una concreta situación histórica y que siempre hay cierto horizonte de expectativas, horizonte que el hecho teatral frecuentemente tiene el proyecto de traicionar.

A pesar de las notorias diferencias históricas y sociales entre las tres regiones seleccionadas para este estudio, existen semejanzas notables. Participan en el proceso hemisférico de creación de un movimiento teatral, desarrollo del hecho teatral, y preocupación por el repertorio; y a pesar de diferencias en el sector social, hay un parecido sorprendente: además de movimientos internacionales que aparecen en todas partes, en cada región hallamos fenómenos parecidos que influyen, a veces en sentido contradictorio, en el proceso teatral. En los tres países existe esta misma tensión entre teatro establecido y teatro proveniente de las masas, y en los tres el desarrollo futuro está ligado de maneras complicadas con el proceso político.

ISBN 0-919659-24-1

CARLOS QUIROZ
LOS ENANOS VERDES

(Una novela)

Una vez que el viejo Juan venía como con frío por la nieve de su exilio o de sus cabellos, como viniendo gozoso a esta tierra que así amaba y como extrañando su refugio del otro lado del horizonte al mismo tiempo, como que si es cierto no se puede arrancar del corazón del hombre la tierra que le dio la luz tampoco será la que nos cobija y en la que también dejamos parte de nosotros, como queriendo que esto se comprenda y para que llegue esa repartición de los colores también, como queriendo entonces que ese círculo se acabe, Juan se detuvo en medio del amarillo de *este* ambiente y levantó la cara al cielo como un niño que aunque castigado por su padre, aún rencoroso y habiéndolo injuriado él mismo por ello, se atreve a preguntarle a dónde van, a dónde lo lleva, como planteándole efectivamente esa pregunta, saber del futuro, qué hacer él mismo más que nunca por ello y aunque por ello él haya sido o se sentido castigado, sin humillación y más bien con dignidad de hijo de un Divino, al amarillo del cielo se impuso súbitamente el espectro de colores o un inconmensurablemente ancho y maravilloso arco iris, y aquéllos, los colores, se entretejieron, jugaron entre ellos mismos un tiempo y luego se mezclaron en un violento torbellino para componer un blanco fijo como posible conclusión o respuesta: un blanco de incógnita porque la muerte sería negra, un blanco tal vez como los horizontes Norte y Sur, las nieves perpetuas, el perpetuo destierro, o como un simple telón blanco que no quiere dejar ver el futuro, como un lienzo todavía sin pintar, por pintar... tal vez una respuesta... con burla... Y luego también regresó el cielo amarillo punzante... Sin embargo, Juan sonrió levemente, como, aunque no satisfecho de la respuesta, por lo menos de haber sido oído o haber creído serlo y por haber osado preguntarlo, creído así que el cielo no estaba tan enojado con él como él habría creído, como debería ser cierto de que un hijo tal vez injurie al padre, lo hiera inclusive, y éste último, magnánimo, lo perdone en su natura de humano y más si también Divino y si bien no perfecto y obra de El, de que ambos olviden aquello, riendo Juan luego o como creyendo como un loco de que por lo menos el cielo así le habría dicho, al mostrarle los colores del arco iris, un lienzo blanco, de continuar pintando, de que tal vez así el mundo cambie efectivamente, de que ese debería ser el propósito de Su obra y de su obra, su misión al fin, de buscar él mismo también el arco iris en medio del caos amarillo de los hombres, quizá lo encuentre...

ISBN 0-919659-36-5

Pablo Urbanyi

Puesta de sol

Puesta de sol es la historia de un niño que jamás tendrá nombre, o si lo tiene, no es más que una variante de su diagnóstico. El nombre que le pondrán los demás (enfermeras, médicos, almas buenas), nunca dejará de ser un número para sus padres. Cruel deseo del narrador: el que no está de acuerdo que tenga un hijo así. Todos parecen olvidarse de que tal vez el niño también tenga sus deseos.

Si bien en este tema parece que entran consideraciones morales y en su defensa se argumenta que el progreso, que no es otro que tecnológico, no es más que un auxiliar del ser humano, en última instancia no es más que una confortable delegación de responsabilidades. El médico confía cada vez más en los análisis y los aparatos, los economistas en las estadísticas, y la respuesta final, infalible, la da la computadora. La que no se encuentra en ella, parece haber desaparecido o no existe.

La escuela de los padres sigue sin fundarse o, en todo caso, si además de muchos libros de autoayuda, programas en las computadoras, existen algunos cursos intensivos y acelerados, se entra en la paternidad y la maternidad sin graduación en la que se siguen repitiendo viejos modelos, inconscientemente aprendidos de los propios padres, que ni los libros ni los programas ni los cursos más modernos y avanzados pudieron cambiar.

De esta manera, todo cambio, toda modificación, toda decisión, si no es clandestina, se convierte en un acto de rebelión. Esta novela plantea con toda crudeza las situaciones más extremas de la paternidad, de la maternidad y en la que se ven envueltos ciertos temas, como la paternidad, la maternidad o la eutanasia, a pesar de los estudios que por otra parte y un progreso real pero que siempre resultan insuficientes para estos temas que preferentemente tocan otras áreas de la vida, parecen irresolubles y eternamente conflictivos.

Pablo Urbanyi es heredero de diversas culturas. Nacido en el centro de Europa, en la tierra de los húsares, llegó a la Argentina a la edad de ocho años, país que adoptó como patria y en el que, al borde de la pampa, se crió entre gauchos. En Buenos Aires, como periodista del diario *La Opinión*, y viviendo allí, asimiló todo lo bueno y malo que un porteño puede asimilar. En 1972 publicó su primer libro de cuentos *Noche de revolucionarios*. En 1975, su primera novela *Un revólver para Mack*. En 1977 emigró a Canadá donde escribió su tercer libro, *En ninguna parte,* publicado en Argentina y traducido al inglés y al francés. En 1988 aparece *De todo un poco de nada mucho* (Legasa, Buenos Aires). En 1992, se imprime *Nacer de nuevo* (Girol Books, Canadá). Fue finalista del Planeta Argentino con su novela *Silver,* publicada por Editorial Atlántida en 1994.

ISBN 0-919659-35-7

COLOFÓN

Este libro se terminó de imprimir en el mes de julio de 1998.

En la fotocomposición se empleó Minion 10.5/12.5, usando una impresora Lexmark Optra R+ y el programa WP5.1 de Corel.